유아 연산의 기준

칸토의 연산

1부터 9까지의 수

"취학 전 우리 아이가 해야 할 수학은?"

아이를 키우는 부모님이라면 하나같이 우리 아이가 수학을 좋아하고 잘했으면 하는 바람일 것입니다. 수학에 대한 안 좋은 기억이 있으신 부모님들이라면 더더욱 걱정과 조바심 속에 초등학교 가기 훨씬 전부터 아이에게 여러 문제집을 풀게 하며 수학에 많은 시간을 사용합니다. 지금까지 아이가 푼 문제집을 쌓아 올리며 부모님 스스로가 뿌듯해 하기도 합니다.

그런데 아이가 수학을 잘하기 위해 초등학교 입학 전에 해야 할 가장 중요한 것은 무엇일까요?

수학에 관심을 갖고 수학에 재미를 느끼는 것입니다.

그러나 현실은 그렇지 않습니다. 아이들은 방대한 양의 반복된 문제를 풀며 가장 중요한 목표인 재미로부터 멀찌감치 떨어져 출발하게 됩니다. 첫 단추가 잘못 끼워지니 그 이후의 단추들도 제대로 끼워지기 어렵습니다. 아이가 처음 숫자를 보고 읽고 수를 셀 때의 희망찬 모습에서 어느덧 수 앞에만 서면 작아지는 아이의 모습으로 부모님의 새로운 걱정은 시작됩니다. 이를 바로잡으려 부모님께서 다시 힘을 내보려 하지만 너무 오래된 수학이 낯설고 멀게만 느껴집니다.

「칸토의 연산」은 아이에게는 아이의 시선에 맞게 문제의 형태와 양을 재미있게 구성하여 즐거운 시간이 될 수 있게 하였고, 부모님께는 아이를 가까이서 직접 지도할 수 있는 학습 가이드(칸토 쌤)를 제공하여 최고의 선생님이 될 수 있게 하였습니다.

수학을 잘하기 위해서는 한 문제를 끝까지 풀기 위한 노력과 끈기도 필요합니다. 하지만 수학을 잘하기 위해 지금 부모님께서 해야 할 일은 아이에게 수학에 대한 좋은 첫인상을 심어주는 것입니다. 문제 푸는 것을 어려워한다면 과감히 다음 기회로 넘기고 기다려주세요. 첫 만남이 나쁘지 않았던 우리 아이는 다시금 수학을 찾고 수학과 더 깊은 관계로 발전해 나갈 수 있을 거예요.

"초등 입학 전 연산
딱 4가지만 알고 가요."

취학 전 우리 아이가 반드시 학습해야 할 연산 주제 4가지를 제시합니다.

수 세기(1~50)

[수 세기 방법 4가지]

① 앞으로 세기 1, 2, 3, 4, 5, ⋯⋯

② 거꾸로 세기 10, 9, 8, 7, ⋯⋯

③ 이어 세기 5, 6, 7, 8, 9, ⋯⋯

④ 묶어 세기 2, 4, 6, 8, 10, ⋯⋯

　　(뛰어 세기)

수를 세는 과정에는 덧셈과 뺄셈의 원리가 숨어 있어요.
실생활 소재(음식, 물건, 계단)와 수 세기 모형(주사위,
수직선, 계란판)을 이용하여 반복하여 연습해 주세요.
아이의 수·연산 감각을 발달시킬 수 있는 출발점입니다.

수 계열(1~50)

[50까지의 수 배열표]

1 큰 수

10 큰 수 →

1	2	3	4	5	6	7	8	9	10
11	12	13	14	15	16	17	18	19	20
21	22	23	24	25	26	27	28	29	30
31	32	33	34	35	36	37	38	39	40
41	42	43	44	45	46	47	48	49	50

10 작은 수

1 작은 수

50까지의 수 배열표를 관찰하며 수의 구성과 각 수들 간의
관계를 파악하고 50까지의 수를 익혀요. 수 배열표를 머릿속
으로 그릴 수 있어야 해요.

[모으기]　　　　**[가르기]**

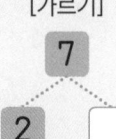

9까지의 수를 모으고 가르는 활동은 덧셈, 뺄셈
의 기초이며 핵심 원리예요.
손가락뿐만 아니라 생활 속 다양한 구체물을
활용하여 반복적으로 연습해 보세요.

[동적 상황의 덧셈·뺄셈]

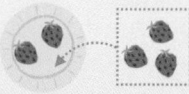

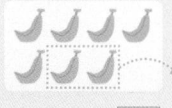

$$2 + 3 = \boxed{}　　7 - 2 = \boxed{}$$

덧셈, 뺄셈은 동적인 상황(첨가, 제거)과 정적인
상황(합병, 비교) 2가지가 있어요. 이것을
잘 이해하면 덧셈·뺄셈 문장제 문제를
해결하는 데 큰 도움이 돼요.

모으기·가르기(1~9)　　　## 덧셈·뺄셈(0~9)

단계별 구성

유아/3단계

단계	권	주제
5세	1	1부터 5까지의 수
	2	6부터 9까지의 수
	3	1부터 9까지의 수
	4	덧셈과 뺄셈의 기초
6세	1	0부터 10까지의 수
	2	10까지의 수에서 더하기·빼기 1
	3	20까지의 수에서 더하기·빼기 1, 10
	4	20까지의 수에서 더하기·빼기 1, 2, 10
7세	1	합이 9까지의 덧셈
	2	9까지의 뺄셈과 덧셈·뺄셈
	3	50까지의 수에서 더하기·빼기 1, 2, 10
	4	받아올림·내림 없는 (두 자리 수±한 자리 수)

초등/6단계

단계	권	주제
초1	1	덧셈구구
	2	뺄셈구구
	3	편리한 계산 전략
	4	100까지의 수, 받아올림·내림 없는 (두 자리 수±두 자리 수)
초2	1	받아올림·내림 있는 (두 자리 수±한 자리 수)
	2	받아올림·내림 있는 (두 자리 수±두 자리 수)
	3	곱셈의 기초와 곱셈구구(1)
	4	곱셈구구(2)
초3	1	받아올림·내림 있는 (세 자리 수±세 자리 수)
	2	나눗셈구구
	3	(세 자리 수×한 자리 수), (두 자리 수×두 자리 수)
	4	분수와 소수의 기초
초4	1	큰 수
	2	곱셈과 나눗셈
	3	분모가 같은 분수의 덧셈과 뺄셈
	4	소수의 덧셈과 뺄셈
초5	1	자연수의 혼합 계산
	2	약수와 배수, 약분과 통분
	3	분모가 다른 분수의 덧셈과 뺄셈
	4	분수의 곱셈, 소수의 곱셈
초6	1	분수의 나눗셈
	2	소수의 나눗셈
	3	비와 비율
	4	비례식과 비례배분

칸토의 연산 시리즈

(9단계, 총 36권)

- 연산의 원리부터 재미있는 퍼즐형 문제까지 다루는 기본 난이도의 연산 교재
- 나선형 반복 학습과 확장 커리큘럼
- [칸토의 연산] ➡ [응용 연산]으로 이어지는 기본·심화 연산 학습 설계
- 단계별 4권, 9단계 총 36권 구성
- 한 단계 4개월 완성
- 학년별 교과서 진도와 맞춤 병행

이 책의 **칸토 구성**과 **특징** :

- 하루 2쪽, 매주 5일씩 4주 동안 완성하는 연산 프로그램이에요.
- 연령별 아이의 학습 눈높이와 학습 체력에 맞게 쉬운 난이도와 하루 10분 정도의 학습 분량으로 구성하였어요.
- 선생님과 같은 실력으로 아이를 지도할 수 있게 「칸토 쌤」 코너에 알찬 학습 가이드를 수록하였어요.

---

1 학습 안내 · 무엇을 공부할까요?

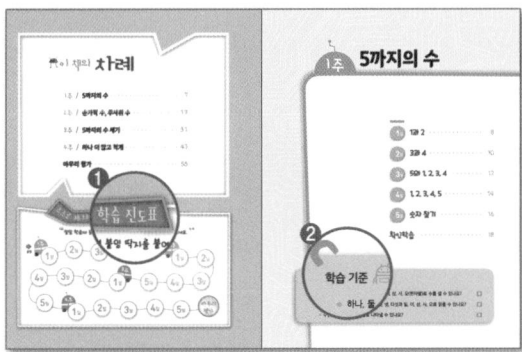

❶ 붙임 딱지를 붙여 학습 진도를 체크해요.

❷ 이번 주에 꼭 알아야 할 학습 기준을 체크해요.
공부 전에 간단히 살펴보고, 한 주 공부가 끝나면 반드시 확인해 보세요.

2 일일 학습 · 매주 5일씩 4주 동안 공부해요.

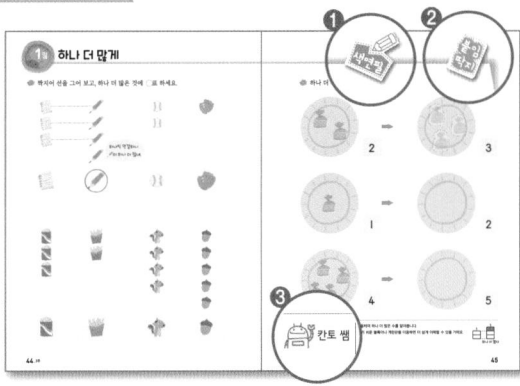

❶ 색연필을 사용하는 활동이에요.

❷ 붙임 딱지를 붙이는 활동이에요.

❸ 연산의 개념, 원리, 활용뿐만 아니라 아이의 학습 심리 상태를 파악할 수 있는 학습 가이드를 꼭 참고하세요.

3 확인 학습 · 이번주 배운 내용을 잘 알고 있나요?

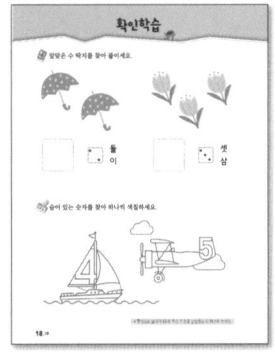

4 마무리 평가 · 4주 동안 배운 내용을 잘 알고 있나요?

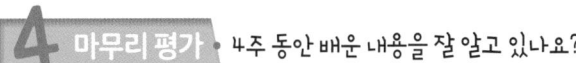

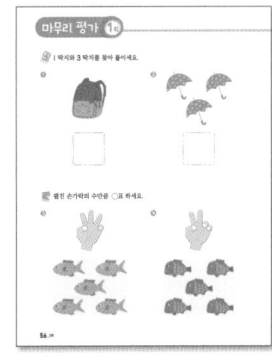

이 책의 차례

스스로 체크하는 학습 진도표

"일일 학습이 끝나면 붙임 딱지를 붙여 학습 진도를 표시해 보세요.

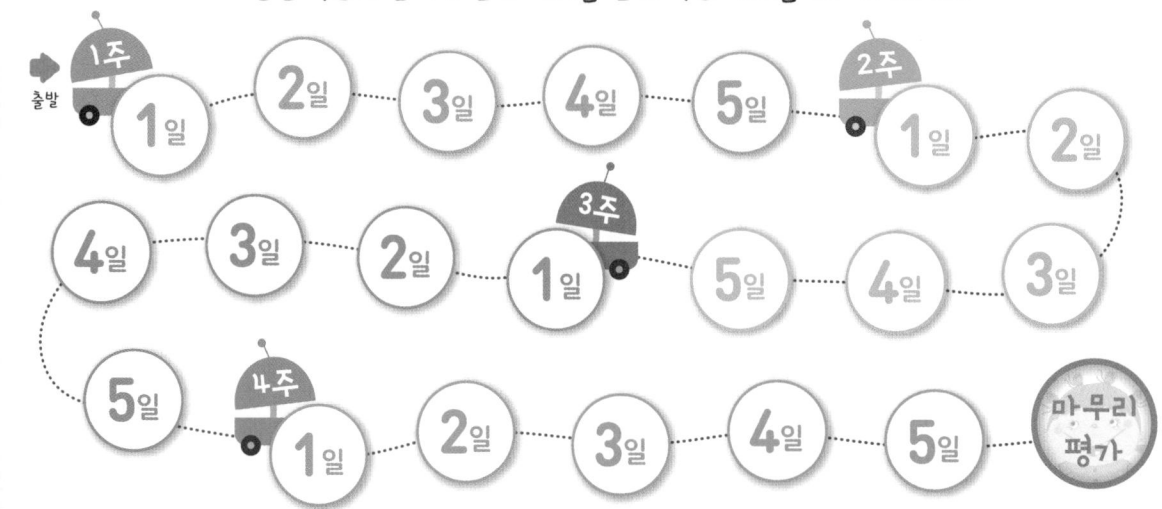

1주 9까지의 수

학습 기준

- 하나, 둘, 셋…(우리말)과 일, 이, 삼…(한자말)으로 9까지의 수를 셀 수 있나요?   ☐

- 9까지의 수를 읽고 쓸 수 있나요?   ☐

- 수를 세어 1부터 9까지의 수로 나타낼 수 있나요?   ☐

🐛 1과 2를 따라 쓰세요.

일·하나

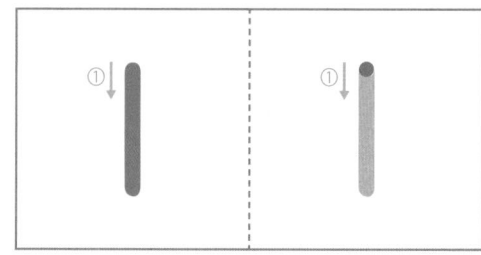

Ｉ	Ｉ			

나는 오리를
닮았어.

2
이·둘

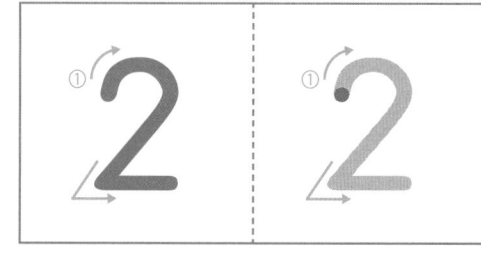

2	2			

3과 4를 따라 쓰세요.

3

삼·셋

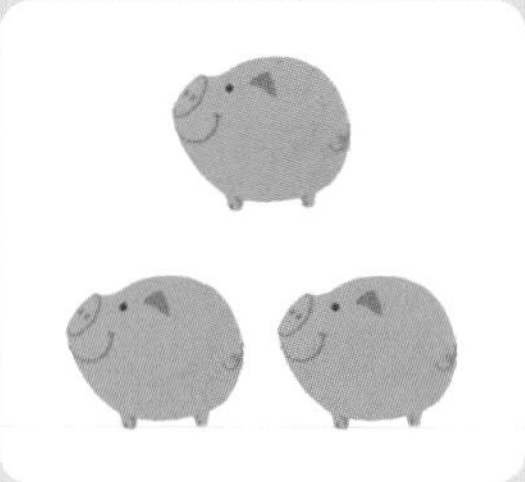

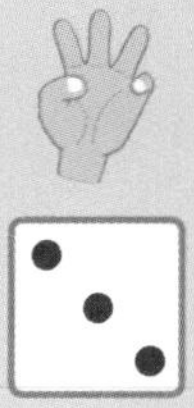

① 3	① 3

3	3			

4

사·넷

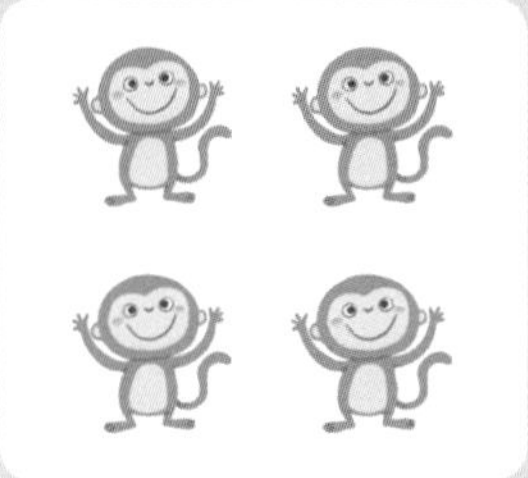

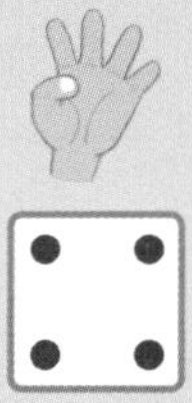

① ② 4	① ② 4

4	4			

칸토 쌤

악력이 발달하지 않은 아이들에게는 숫자 쓰기가 어려울 수 있어요.
직선, 곡선, 지그재그 등 선 긋기 연습을 충분히 한 후에 숫자 쓰기를 해 보세요.
종이 접기나 가위로 오리는 연습도 좋습니다.

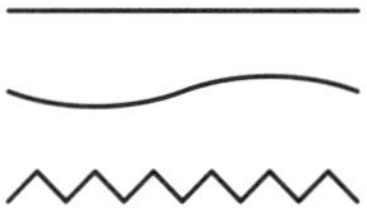

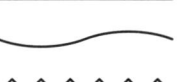

5와 1, 2, 3, 4

🐛 5를 따라 쓰세요.

5
오·다섯

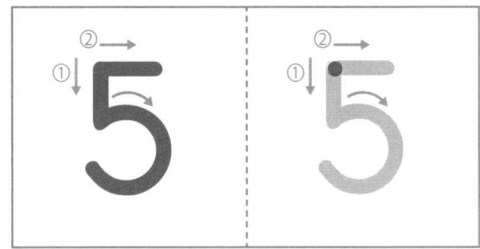

5	5			

🐛 수를 말하며 1부터 5까지의 수를 차례로 쓰세요.

1	2	3	4	5
일	이	삼	사	오
하나	둘	셋	넷	다섯

수를 세어 보고 알맞은 수를 쓰세요.

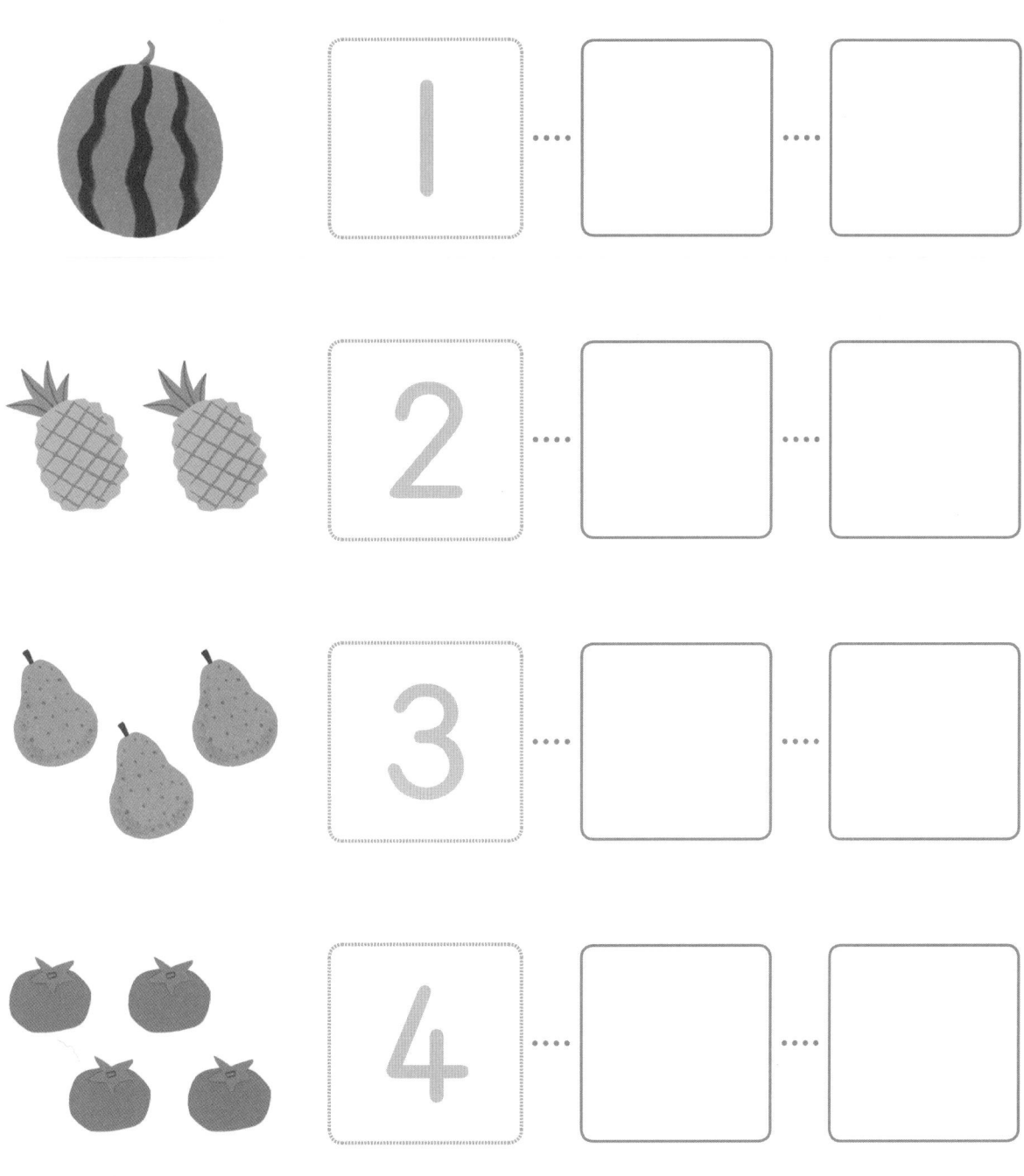

칸토 쌤 숫자를 쓸 때 왼쪽과 오른쪽을 바꾸어 쓰는 아이들이 있어요. 방향 감각이 완성되지 않아 일어나는 자연스러운 현상이에요. 숫자 쓰기를 반복하면 저절로 고쳐지니 너무 걱정하지 마세요.

3일 6, 7, 8, 9

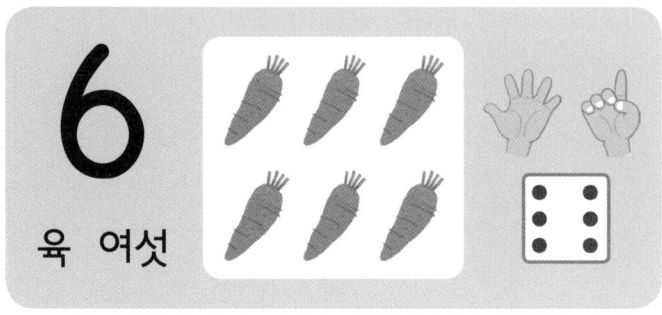 6과 7을 따라 쓰세요.

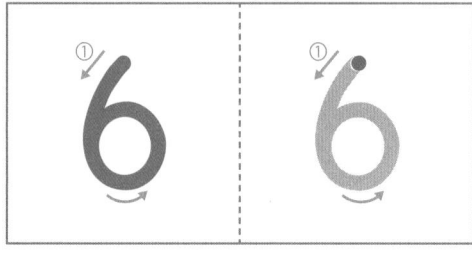

6
육 여섯

6 6

 나는 행운의 숫자야.

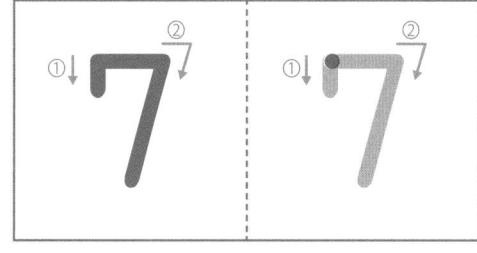

7
칠 일곱

7 7

8과 9를 따라 쓰세요.

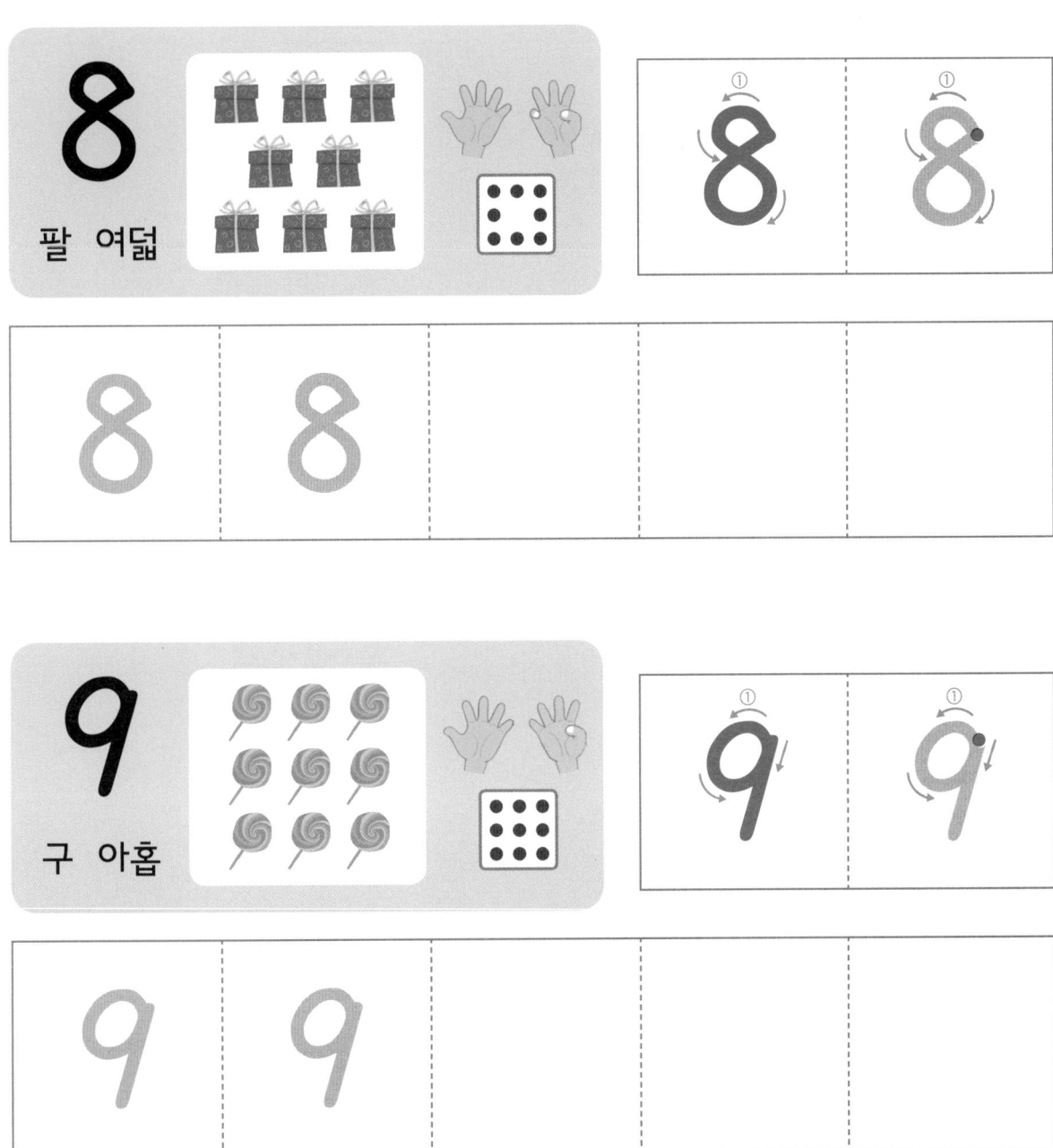

8
팔 여덟

9
구 아홉

칸토 쌤 | 아이들이 처음 숫자를 쓸 때 모양에 신경 쓰느라 숫자 쓰는 순서를 잘 지키지 못해요. 습관이 잘못 잡히면 나중에 바꾸기 더 힘드니, 처음 쓸 때 순서에 맞게 바로 쓰는 연습을 충분히 해 주세요.

(6을 거꾸로 쓰는 경우)

9까지의 수

4일

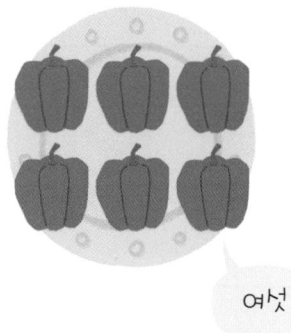 수를 세어 보고 알맞은 수를 쓰세요.

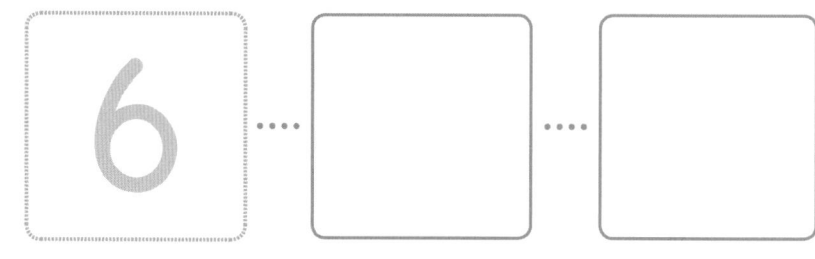

여섯

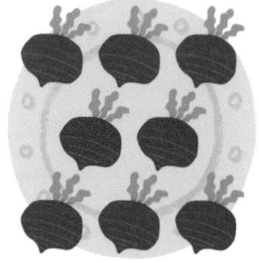

수를 말하며 1부터 9까지의 수를 차례로 쓰세요.

1	2	3	4	5
일	이	삼	사	오

6	7	8	9
육	칠	팔	구

하나	둘	셋	넷	다섯

여섯	일곱	여덟	아홉

칸토 쌤 2가지 방법(우리말, 한자말)으로 수를 말하며 9까지의 수를 써 봅니다.
익숙해지면 엄마가 수를 부르고 아이가 수를 쓰는 활동도 해 보세요.

5일 개수 세기

알맞은 개수를 찾아 색칠하세요.

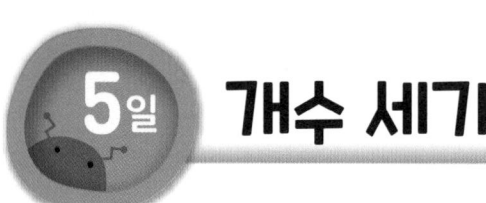

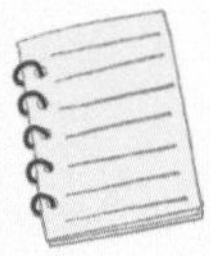

둘

1 4 3 2

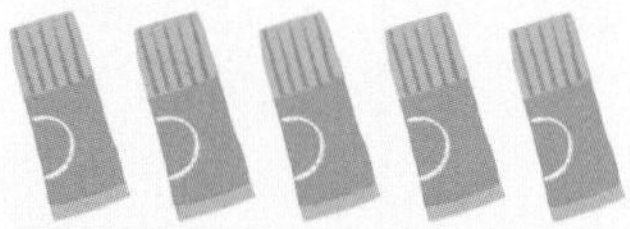

4 5 7 6

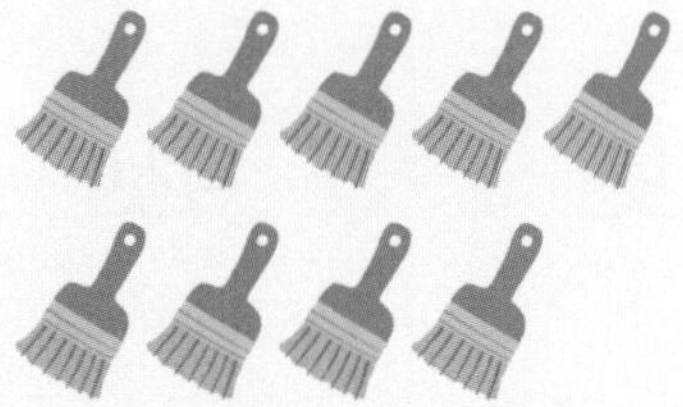

8 7 9 5

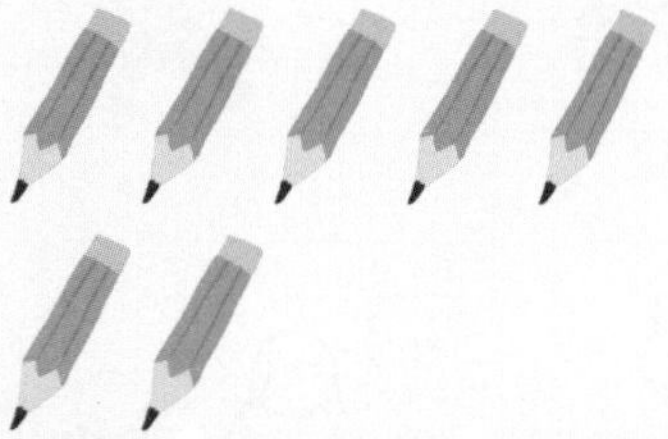

6 8 7 9

묶은 개수를 세어 보고 수를 쓰세요.

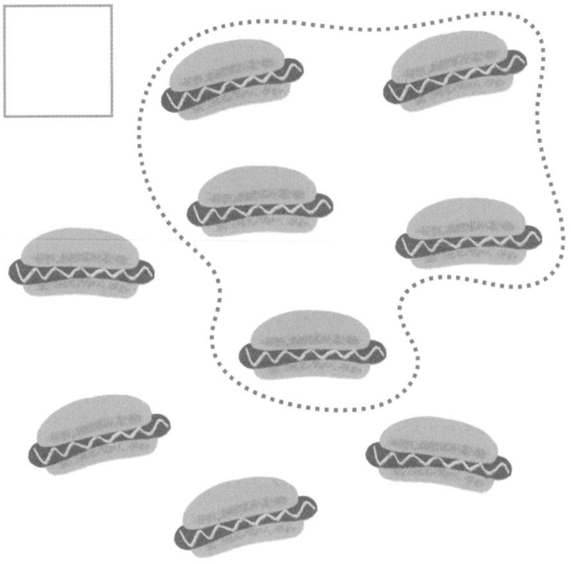

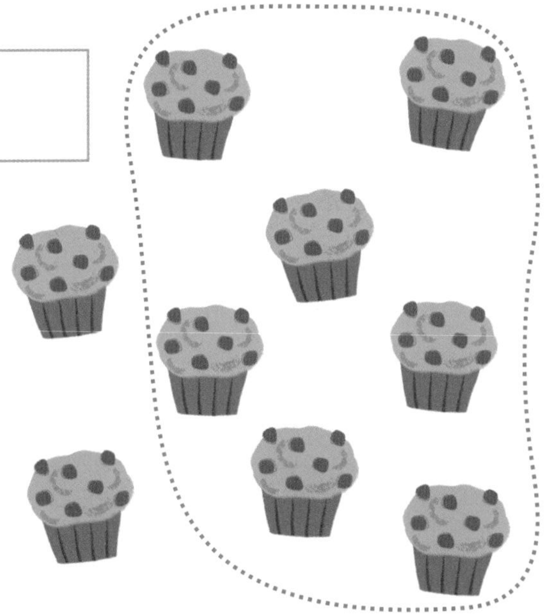

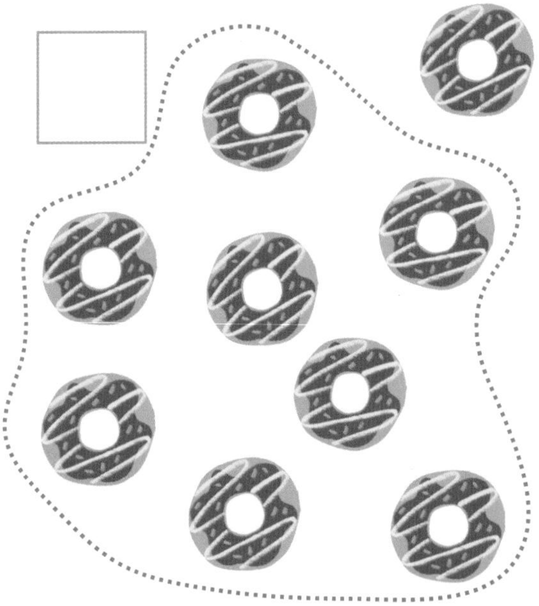

칸토 쌤 | 4일 차까지는 1부터 9까지의 수 쓰기를 집중적으로 연습하였습니다. 이번에는 수 세기를 공부해요. 16쪽에서는 점 수판 모형과 같이 일정한 배열로 놓인 그림으로 직관적 수 세기를 해 보고, 이어서 17쪽에서는 자유롭게 배열된 그림으로 수 세기를 합니다.

17

확인학습

 1부터 9까지의 수를 차례로 쓰세요.

일, 하나	이, 둘	삼, 셋	사, 넷	오, 다섯
육, 여섯	칠, 일곱	팔, 여덟	구, 아홉	

 묶은 개수를 세어 보고 수를 쓰세요.

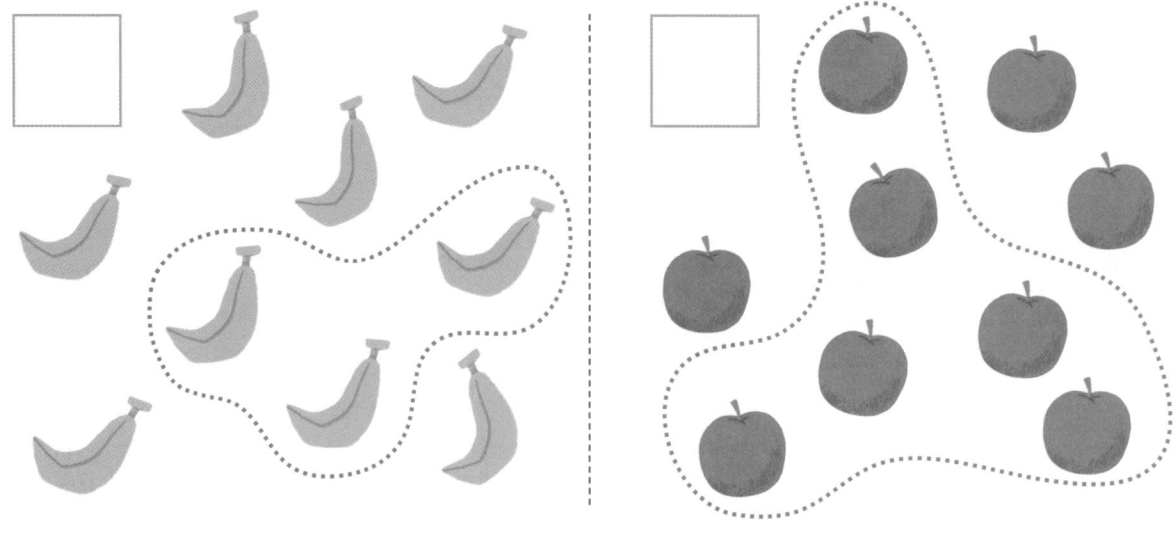

→ 7쪽으로 돌아가 1주 차 학습 기준을 달성했는지 체크해 보세요.

9까지의 수의 순서

학습 기준

- 어떤 수보다 하나 더 많고 하나 더 적은 수를 알 수 있나요? ☐

- 어떤 수부터 하나씩 더 많은 수를 알고, 앞으로 차례로 수를 셀 수 있나요? ☐

- 어떤 수부터 하나씩 더 적은 수를 알고, 거꾸로 차례로 수를 셀 수 있나요? ☐

하나 더 많고 적게

 딱지를 하나 더 붙이고, 하나 더 많은 수를 쓰세요.

4

점 수판의 위치에 맞게 붙여 봐.

1	2	3	4	5
6	7	8	9	

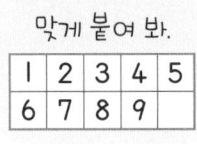

6

8

하나에 ✕표 하고, 하나 더 적은 수를 쓰세요.

3

새 1마리가 날아갔어.

5

9

칸토 쌤 | 그림을 하나 더 붙여 하나 더 많은 수가 무엇인지, 또 그림을 하나 지워 하나 더 적은 수가 무엇인지 수의 양을 통해 알아보는 활동이에요. 수의 순서, 덧셈·뺄셈 등 수 감각을 기르는데 도움이 돼요.

하나 더 적은 수   하나 더 많은 수
4   5   6

2일 하나씩 더 많게

하나씩 더 많아집니다. 빈칸에 알맞은 수를 쓰세요.

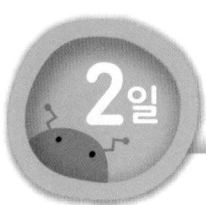

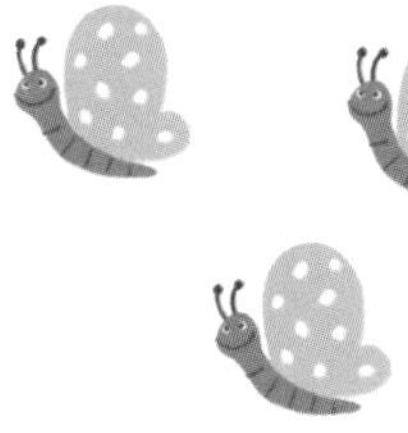

3

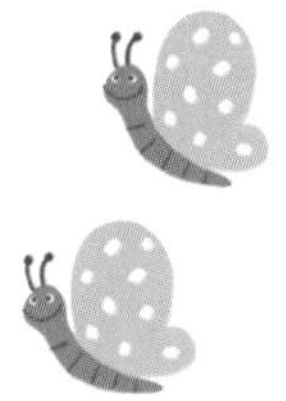

4

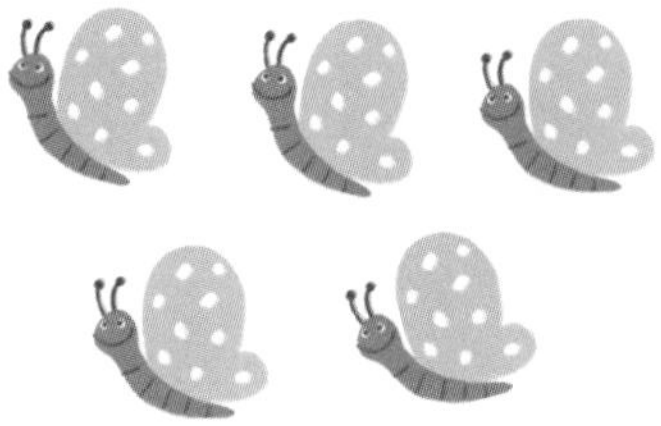

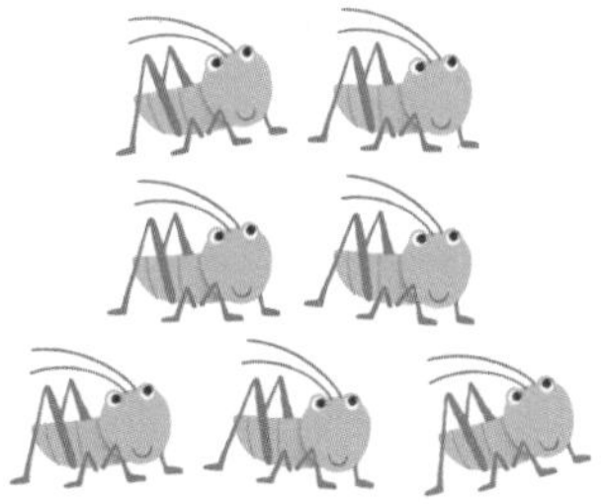

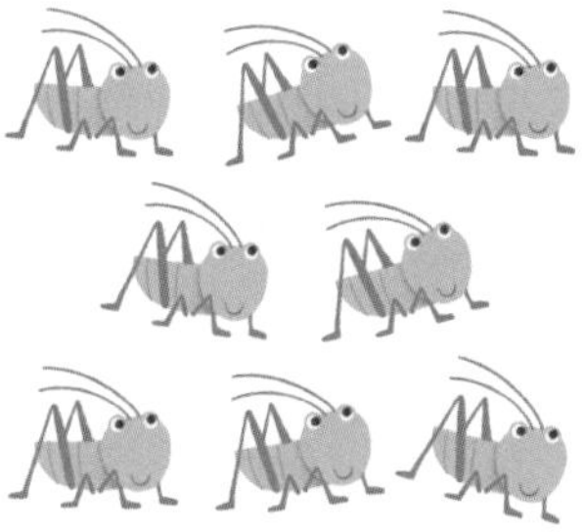

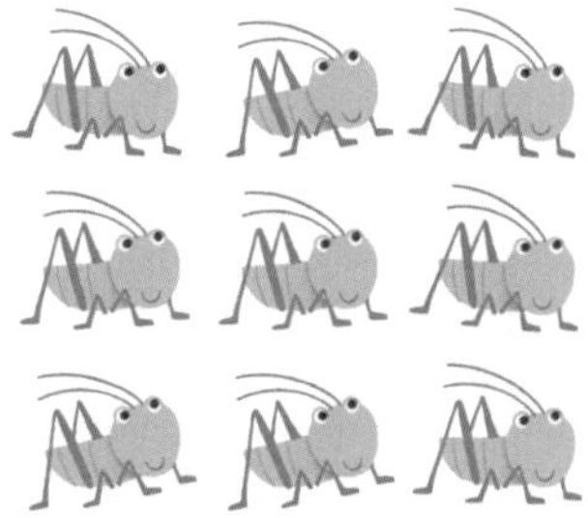

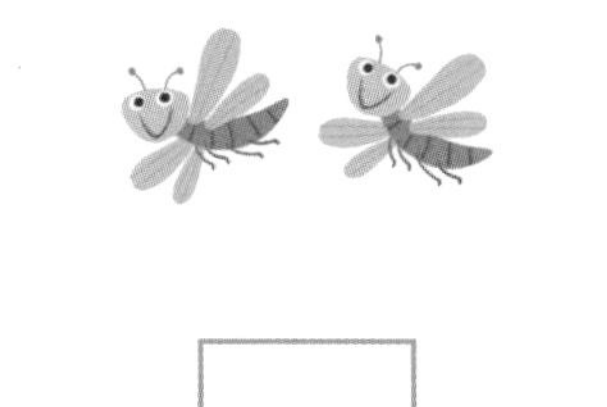

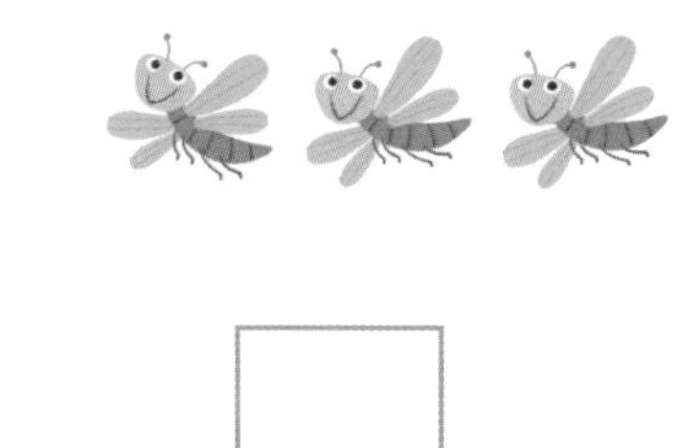

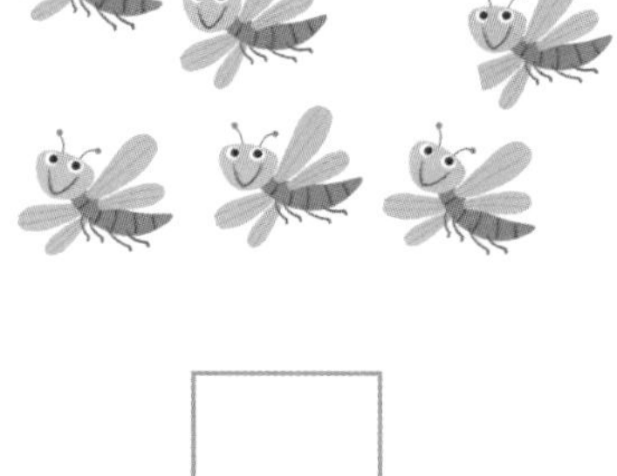

하나씩 더 많아지게 과일 딱지를 붙이고 수를 쓰세요.

[2]

[ ]

[ ]

[ ]

[ ]

[ ]

칸토 쌤 ┃ 하나씩 늘어난 수의 양을 연속적으로 관찰하며 수의 순서(앞으로 세기)의 기초를
다집니다.

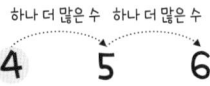

하나 더 많은 수 하나 더 많은 수

4   5   6

3일 앞으로 세기

 앞으로 세어 보며 빈칸에 알맞은 수를 쓰세요.

2 ···· 3 ···· 4

수를 앞으로
하나씩 세면
1, 2, 3, 4, 5!

1 ···· 2 ···· ☐   3 ···· 4 ···· ☐

4 ···· 5 ···· 6 ···· ☐

5 ···· 6 ···· 7 ···· ☐ ···· ☐

앞으로 세어 보며 빈칸에 알맞은 수를 쓰세요.

| 1 | | 3 | |

| 4 | | | 7 |

| | 7 | 8 | |

 칸토 쌤 | '앞으로 세기'는 하나 더 많은 수를 쉽게 알 수 있게 해 주는 도구예요.
1부터 9까지 앞으로 세기를 능숙하게 하면 어떤 수부터 시작하여 수를
이어 세는 '이어 세기'를 해 보세요.

5 → 5, 6, 7, 8, 9
7 → 7, 8, 9

4일 하나씩 더 적게

하나씩 더 적어집니다. 빈칸에 알맞은 수를 쓰세요.

3	2	l

하나씩 더 적어지게 빵에 ╳표 하고 수를 쓰세요.

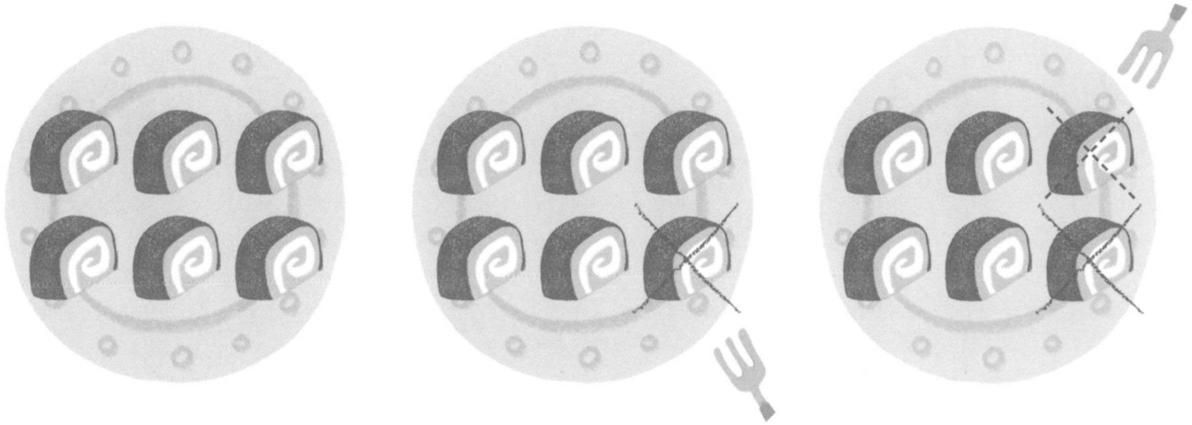

6

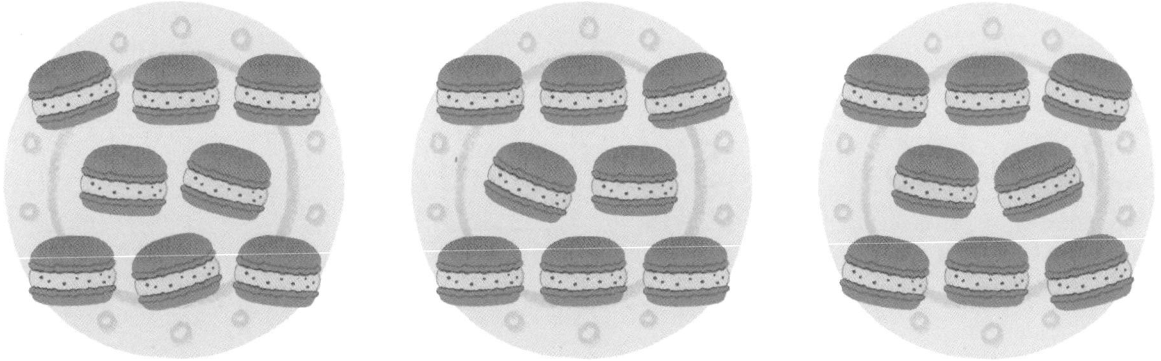

칸토 쌤

하나씩 줄어든 수의 양을 연속적으로 관찰하며 수의 순서(거꾸로 세기)의 기초를 다집니다.

하나 더 적은 수 하나 더 적은 수

7 6 5

거꾸로 세기

🐛 수를 거꾸로 세어 보며 빈칸에 알맞은 수를 쓰세요.

4	⋯⋯	3	⋯⋯	

3	⋯⋯		⋯⋯	

6	⋯⋯	5	⋯⋯	

7	⋯⋯	6	⋯⋯	5	⋯⋯	

9	⋯⋯	8	⋯⋯	7	⋯⋯		⋯⋯	

수를 거꾸로 세어 보며 빈칸에 알맞은 수를 쓰세요.

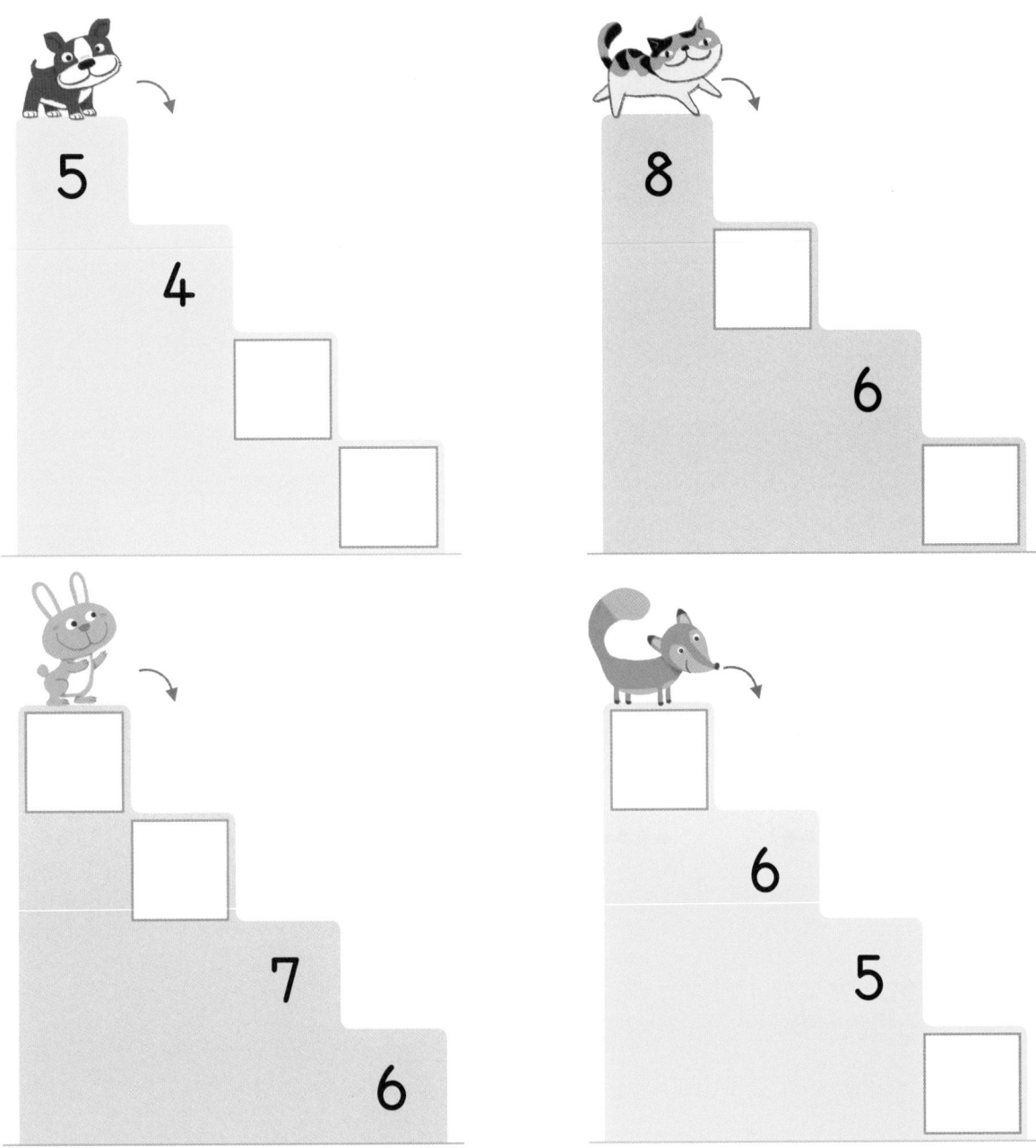

칸토 쌤 | '거꾸로 세기'는 하나 더 적은 수를 쉽게 알 수 있게 해 주는 도구예요.
9부터 1까지 거꾸로 세기를 능숙하게 하면 어떤 수부터 시작하여 수를
거꾸로 이어 세는 '이어 세기'를 해 보세요.

4 → 4, 3, 2, 1
6 → 6, 5, 4, 3, 2, 1

확인학습

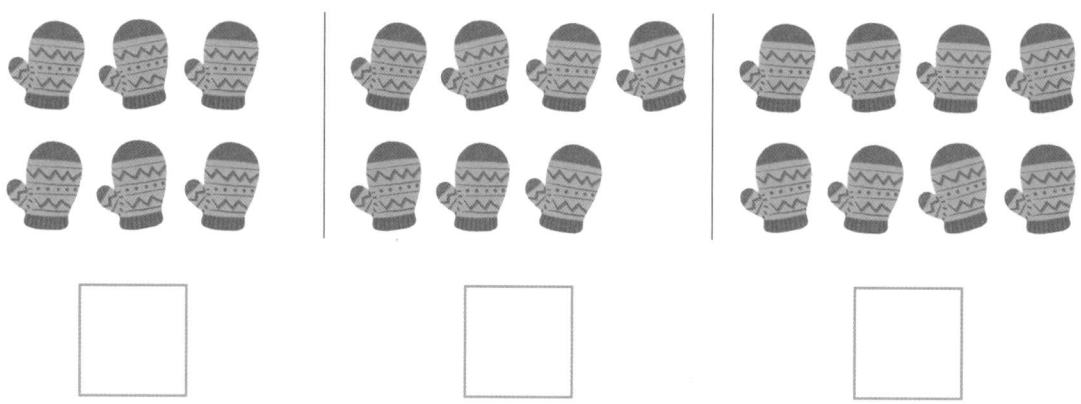

🔖 하나씩 더 많아집니다. 빈칸에 알맞은 수를 쓰세요.

🔖 수를 앞으로 세고 뒤로 세어 보며, 빈칸에 알맞은 수를 쓰세요.

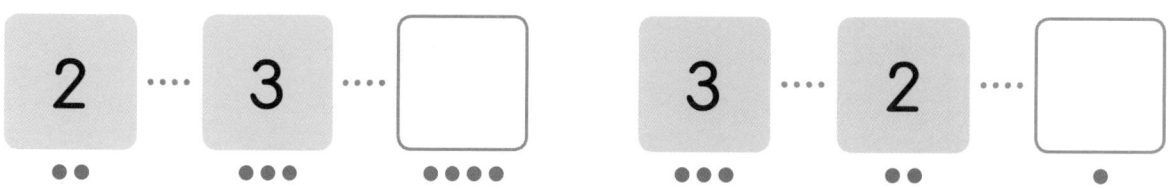

2 ···· 3 ···· [ ]
··   ···   ····

3 ···· 2 ···· [ ]
···   ··   ·

5 ···· 6 ···· 7 ···· [ ]

8 ···· 7 ···· 6 ···· [ ] ···· [ ]

→ 19쪽으로 돌아가 2주 차 학습 기준을 달성했는지 체크해 보세요.

3주 수의 크기 비교(1)

학습 기준

- 1부터 9까지, 9부터 1까지의 수의 순서를 알 수 있나요? ☐

- 두 수를 비교하여 더 많거나 더 적은 수를 알 수 있나요? ☐

- 두 수 또는 세 수, 네 수를 비교하여 더 큰 수와 가장 큰 수를 알 수 있나요? ☐

1부터 9까지

펭귄이 집을 찾아가도록 1부터 9까지 차례로 선으로 이으세요.

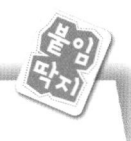

붙임 딱지

I부터 9까지의 수 중 빠진 수를 찾아 수 딱지를 붙이세요.

1	3	7
6	9	
2	5	8

9	2	1
8	3	4
7		5

3	7	8
4	2	5
6		1

5	6	
4	1	8
3	2	9

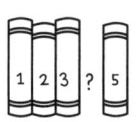

칸토 쌤

아이와 함께 실생활에서 I부터 9까지 수의 순서를 익혀 보세요.
예 어질러진 책을 번호대로 정리하기, 엘리베이터 버튼에서 I부터 순서대로 찾기, 초시계로 시간 재기

2일

앞으로 세기, 거꾸로 세기

🐛 규칙을 찾아 빈 곳에 알맞은 수를 쓰세요.

앞으로 세면
1, 2, 3, 4, 5
거꾸로 세면
5, 4, 3, 2, 1

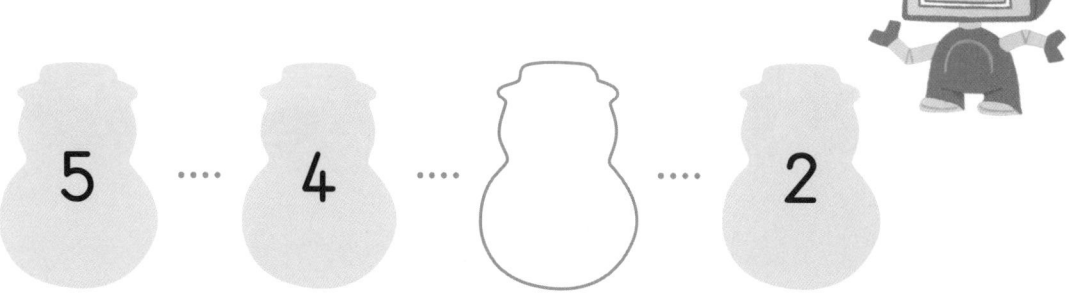

붙임 딱지

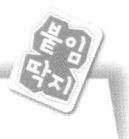

하나씩 더 많게, 하나씩 더 적게 빈 곳에 알맞은 수 딱지를 붙이세요.

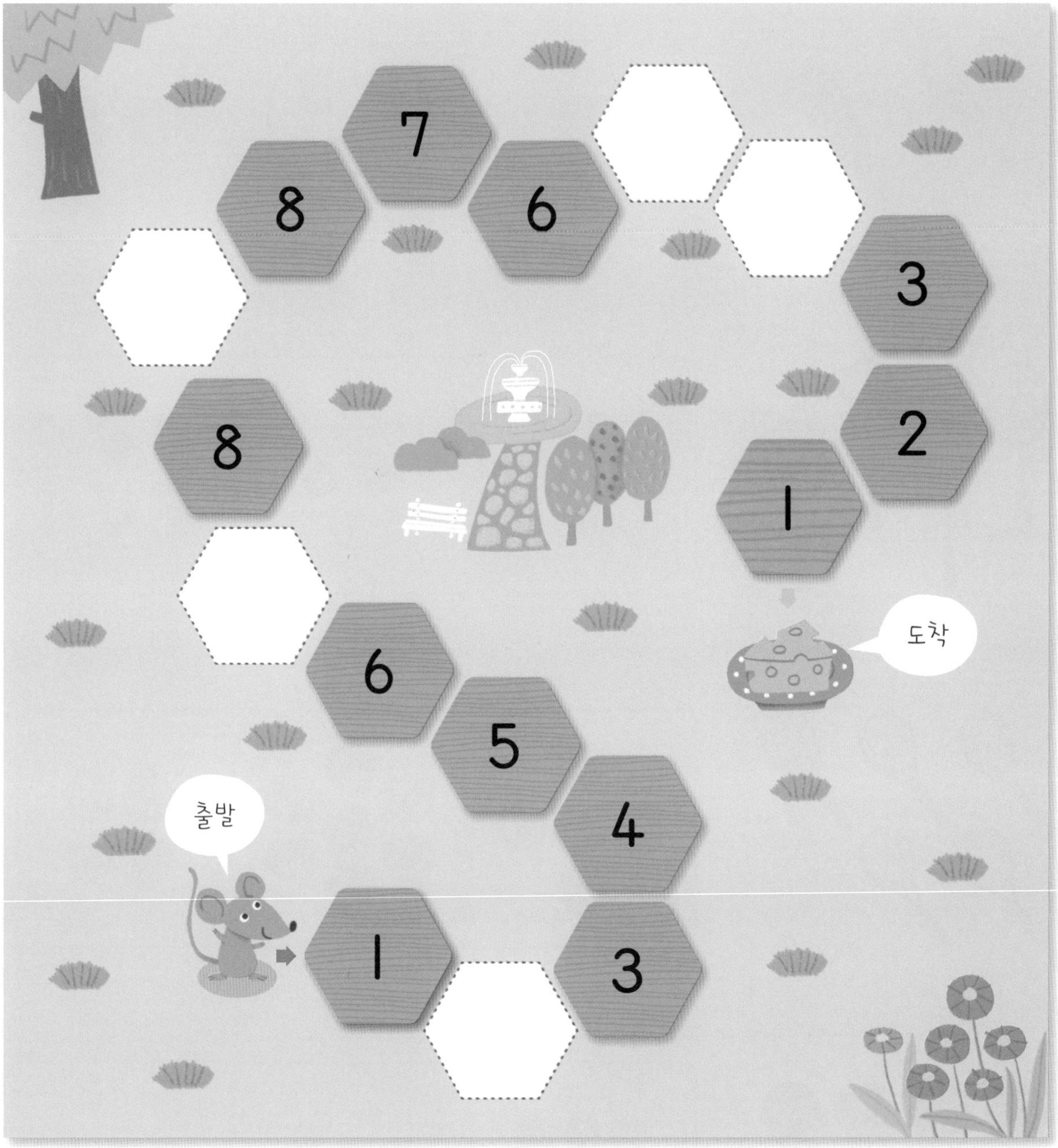

7
8
6
3
8
2
1
도착
6
5
출발
4
1
3

칸토 쌤

나열된 수의 규칙을 찾아 앞으로 세기와 거꾸로 세기를 하는 활동이에요. 지금까지 배운 하나 더 많은 수·하나 더 적은 수, 앞으로 세기·거꾸로 세기를 모두 이용해야 풀 수 있는 문제예요.

6 하나 더 많다
5
4 하나 더 적다

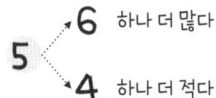

왼쪽보다 더 많은 것에 ○표 하세요.

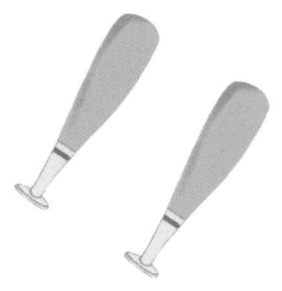
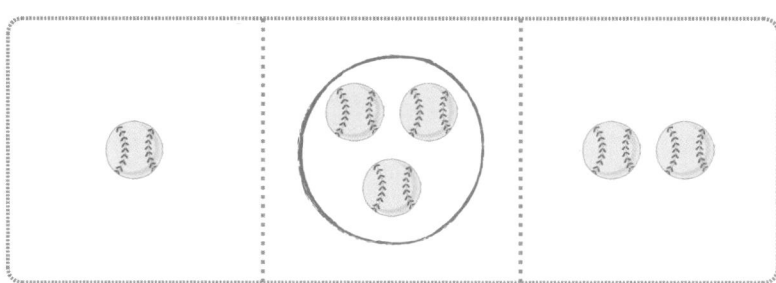

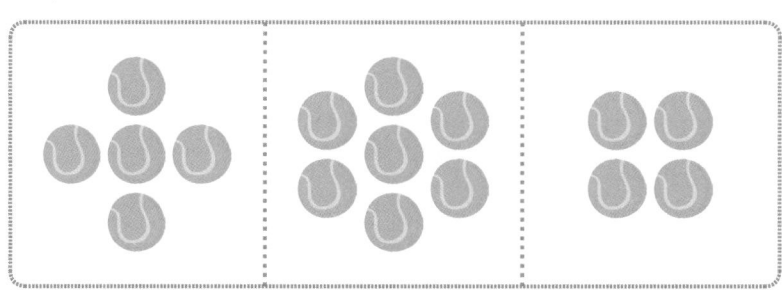

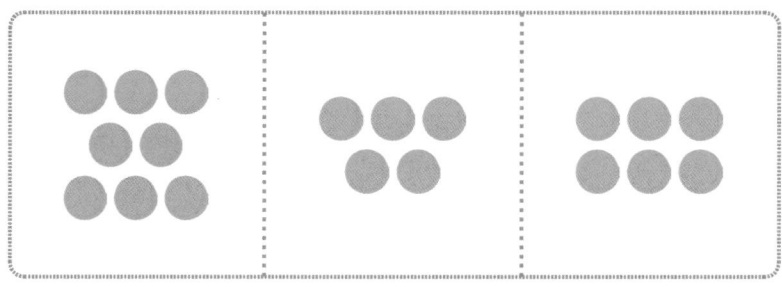

🐡 왼쪽보다 더 적은 것에 ○표 하세요.

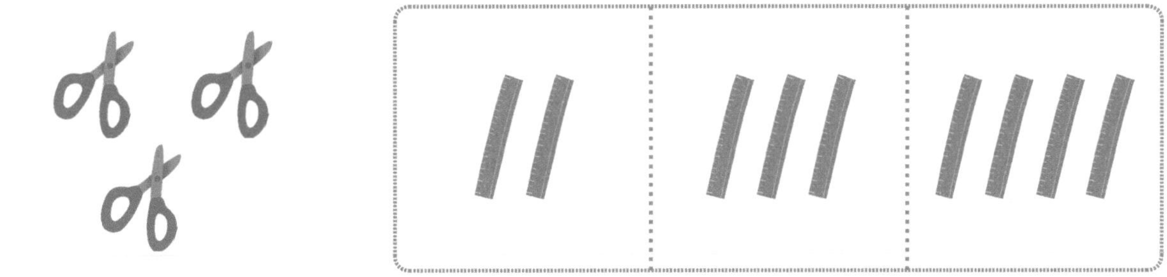

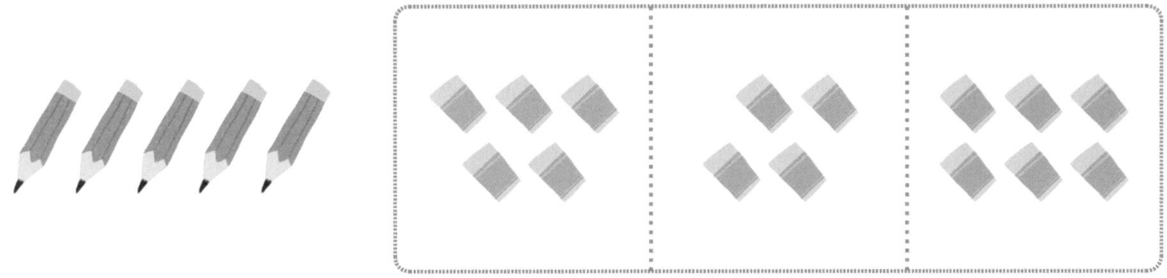

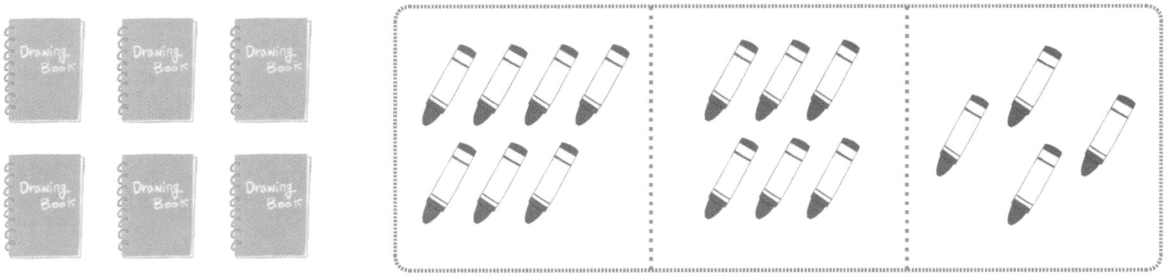

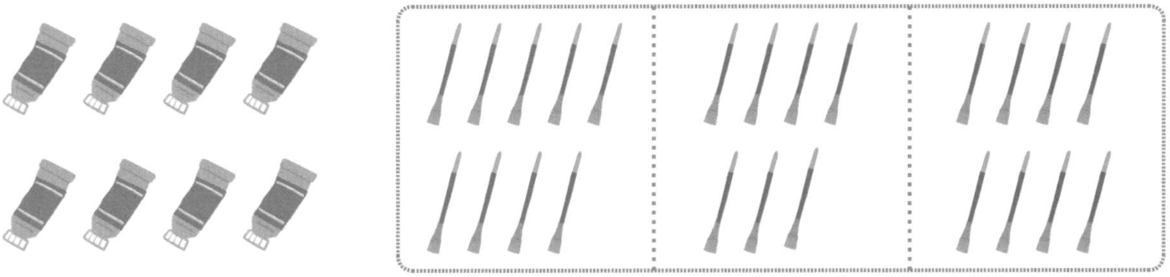

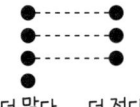

더 많다   더 적다

37

개수를 쓰고 더 큰 수에 ○표 하세요.

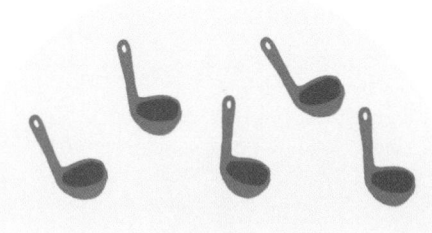

강아지가 더 큰 수를 따라 집에 가도록 선으로 이으세요.

1과 2 중에 더 큰 수는?

5일 가장 큰 수

가장 큰 수를 찾아 색칠하세요.

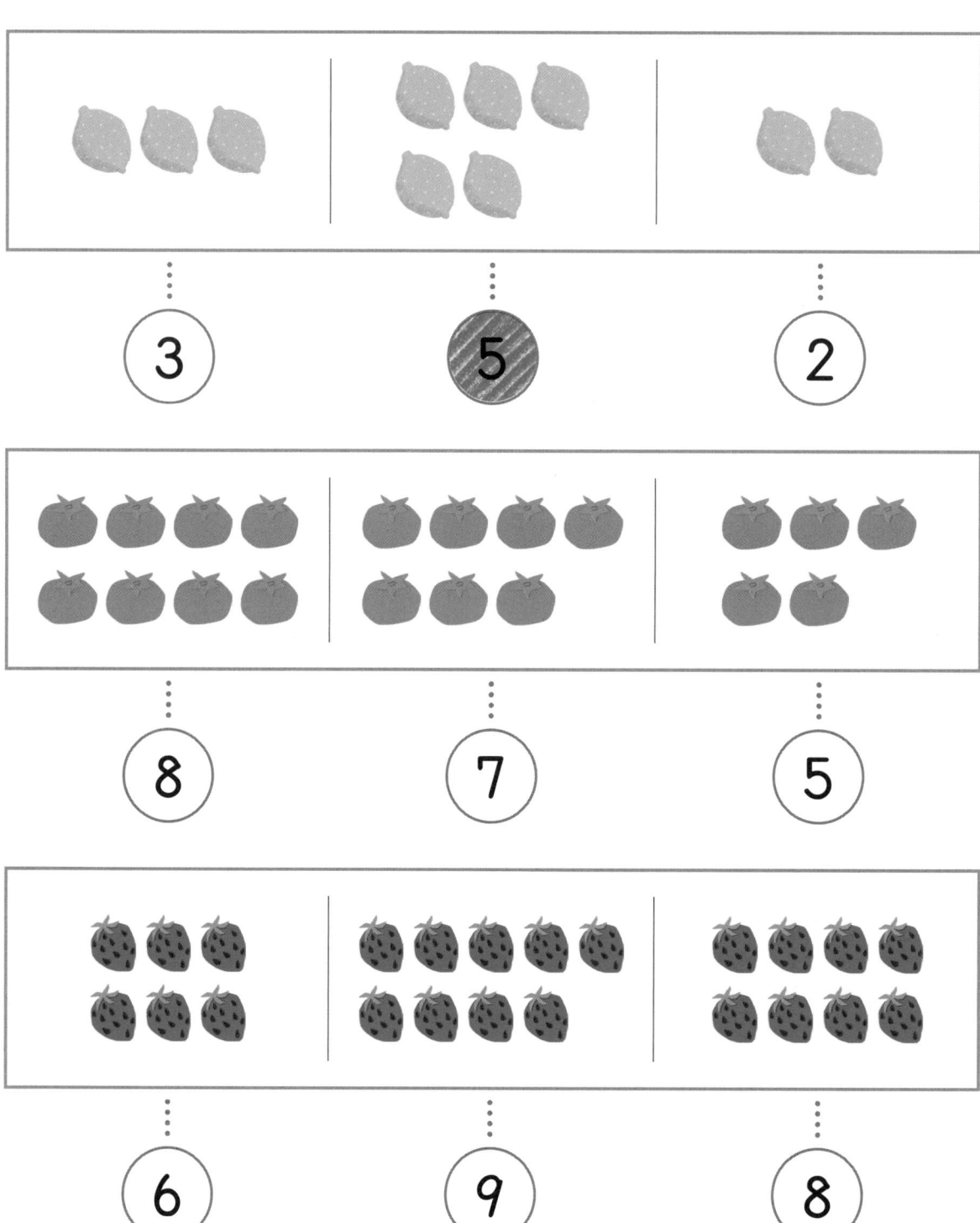

수 카드 **3**장 중 가장 큰 수에 ◯표 하세요.

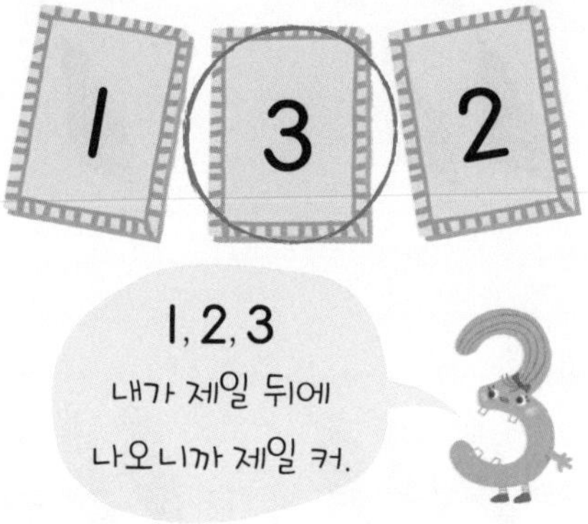

1 ③ 2

5 2 4

1, 2, 3
내가 제일 뒤에
나오니까 제일 커.

3 5 6

6 8 5

7 6 5

8 7 9

칸토 쌤 | 세 수를 비교하여 가장 큰 수를 찾는 활동이에요. 처음에는 수의 양을 비교하여 찾고,
익숙해지면 수의 순서를 이용하여 찾을 수 있도록 합니다.

1, 2, 3, 4
가장
크다

확인학습

▶ 왼쪽보다 더 적은 것에 ○표 하세요.

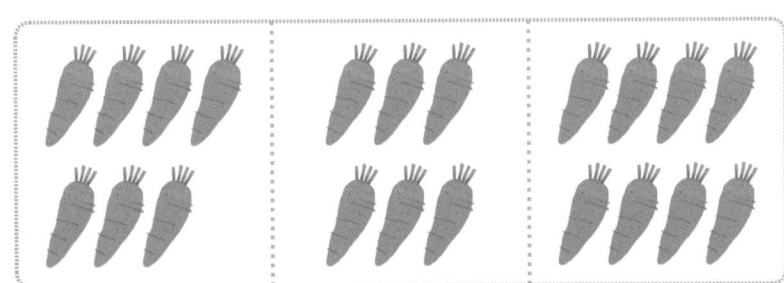

▶ 수 카드 3장 중 가장 큰 수에 ○표 하세요.

→ 31쪽으로 돌아가 3주 차 학습 기준을 달성했는지 체크해 보세요.

4주 수의 크기 비교(2)

학습 기준

● 여러 수를 비교하여 큰 수부터 차례로 쓸 수 있나요?　☐

● 두 수 또는 세 수, 네 수를 비교하여 더 작은 수와 가장 작은 수를 알 수 있나요?　☐

● 여러 수를 비교하여 작은 수부터 차례로 쓸 수 있나요?　☐

👾 큰 수부터 차례로 쓰세요.

5
2   3

| 5 | .... | 3 | .... | 2 |

7
4   9

| | .... | | .... | |

가장 큰 수부터 찾아봐!

4
6   1

| | .... | | .... | |

8
5   7

| | .... | | .... | |

🫛 큰 수부터 차례로 쓰세요.

2 8
7 5

4 5
6 3

6 8
7 9

🤖 칸토 쌤 | 가장 큰 수 하나만 고르는 것이 아니라 가장 큰 수부터 가장 작은 수까지 순서대로 모두 쓰는 문제예요. 수를 이어서 쓰는 것이 아니기 때문에 아이들이 어려워할 수 있어요. 가장 큰 수부터 차근차근 찾도록 도와주세요.

2일 더 작은 수

수만큼 색칠하고 더 작은 수에 ○표 하세요.

4

(3)

왼쪽부터 색칠해 봐.

2

4

4

5

수만큼 색칠하고 더 작은 수에 ◯표 하세요.

| 5 | 6 | 4 | 7 | 9 | 8 |

 칸토 쌤 │ 두 수를 비교하여 더 작은 수를 찾는 활동이에요. 처음에는 수의 양을 비교하여 찾고, 익숙해지면 수의 순서를 이용하여 간단히 찾도록 합니다.

1, 2, 3, 4, 5
← 수가 점점 작아져요

47

3일 가장 작은 수

가장 작은 수를 찾아 색칠하세요.

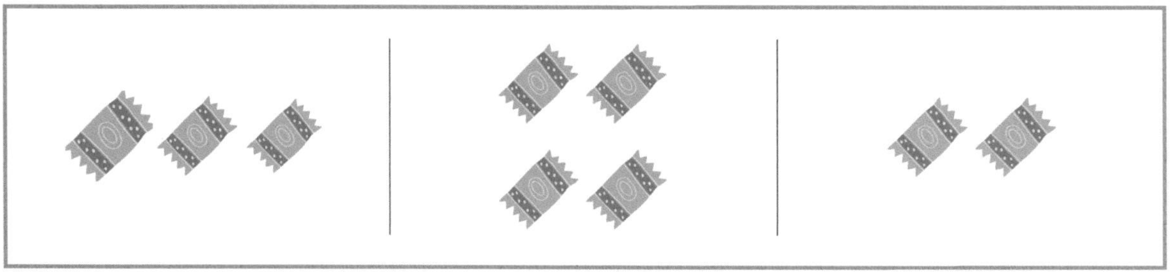

③

④

②

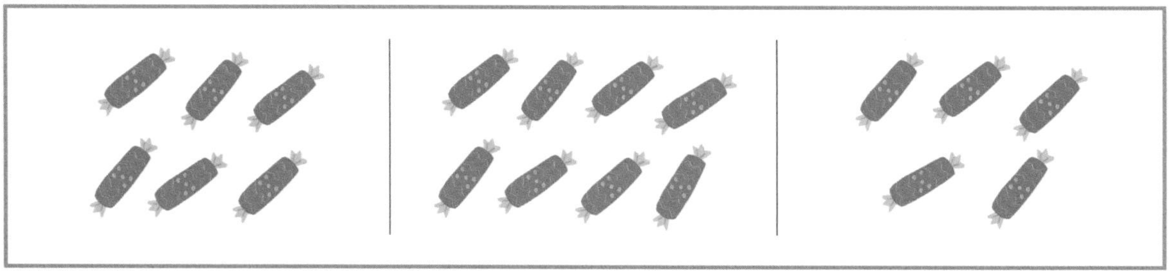

⑥

⑧

⑤

⑦

⑥

⑨

수 카드 **3**장 중 가장 작은 수에 ○표 하세요.

 **칸토 쌤** | 세 수를 비교하여 가장 작은 수를 찾는 활동이에요. 처음에는 수의 양을 비교하여 찾고, 익숙해지면 수의 순서를 이용하여 찾을 수 있도록 합니다.

1, 2, 3, 4
가장
작다

49

4일 작은 수부터

작은 수부터 차례로 쓰세요.

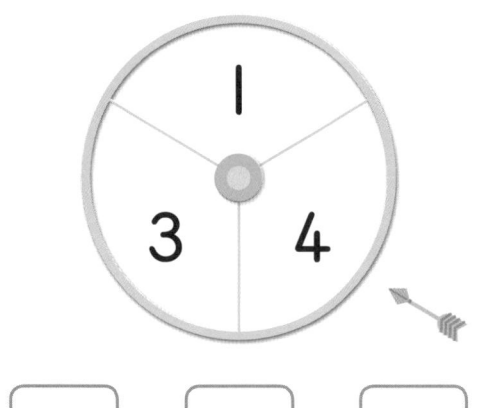

| 1 | ···· | 3 | ···· | 4 |

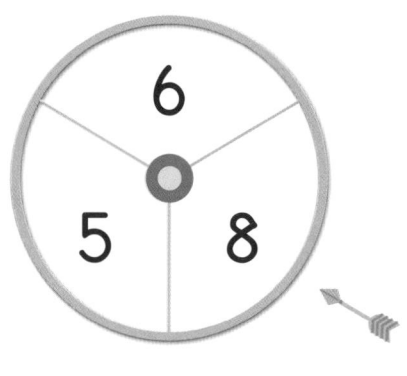

| | ···· | | ···· | |

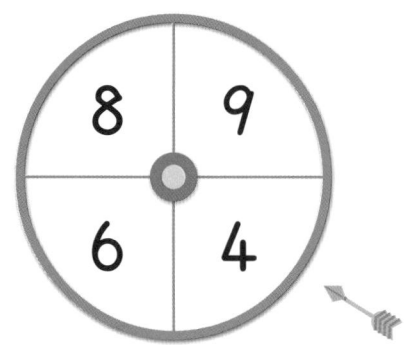

가장 작은 수부터
찾아봐!

| | ···· | | ···· | | ···· | |

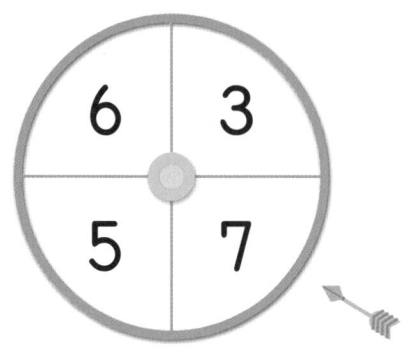

| | ···· | | ···· | | ···· | |

🐟 작은 수부터 차례로 선으로 이으세요.

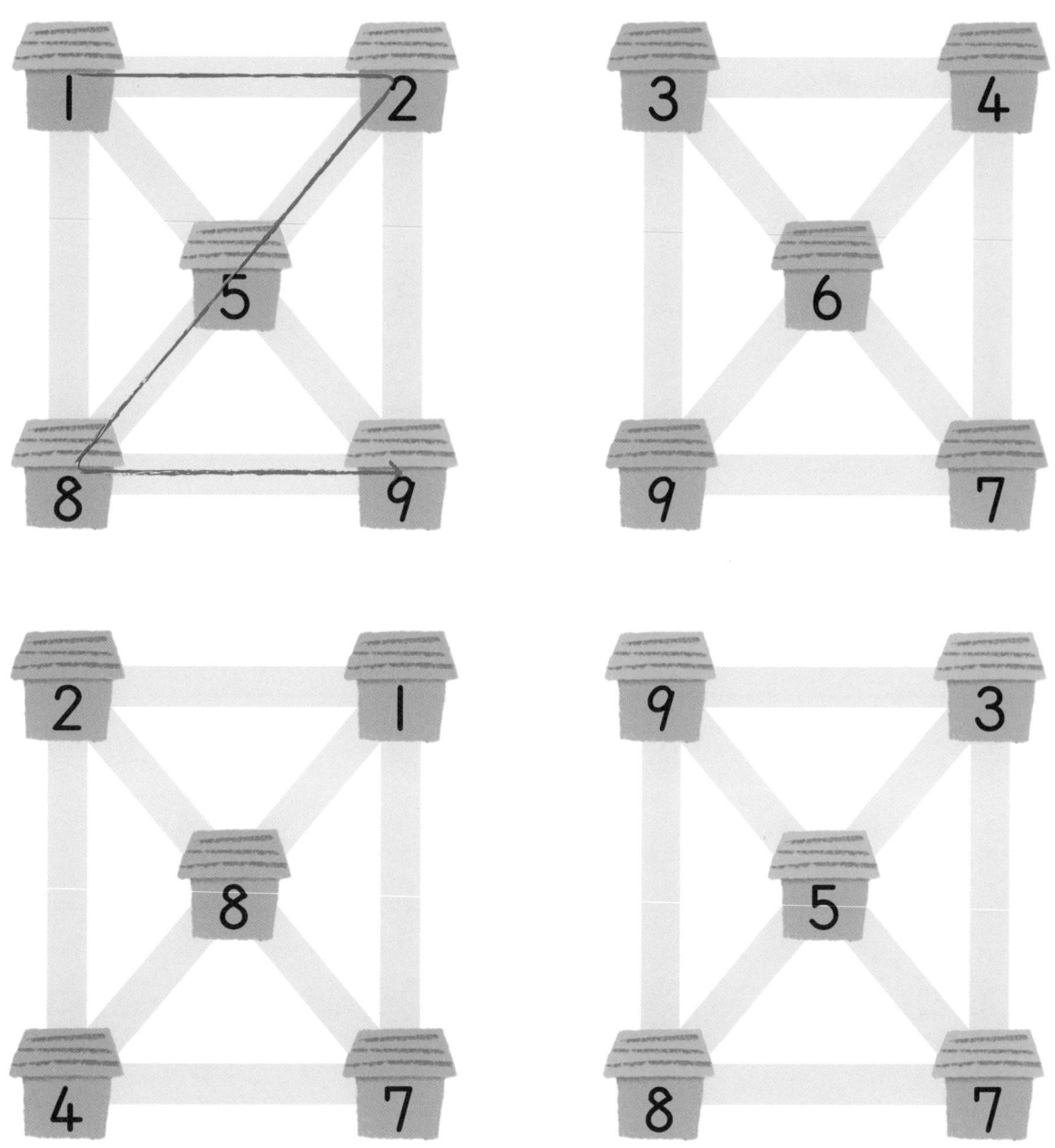

칸토 쌤 | 주어진 수를 가장 작은 수부터 가장 큰 수까지 차례로 나열하는 활동이에요.
1부터 9까지의 수 카드 중 3장을 뽑아 작은 수부터 또는 큰 수부터 놓는 활동을 해 보
세요. 익숙해지면 수 카드 4장을 뽑아서 해 보세요.

작은 수부터 놓기
[5] [2] [8]

5일 가장 큰 수, 가장 작은 수

개수를 세어 쓰고 가장 큰 수에 ○표, 가장 작은 수에 △표 하세요.

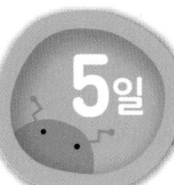

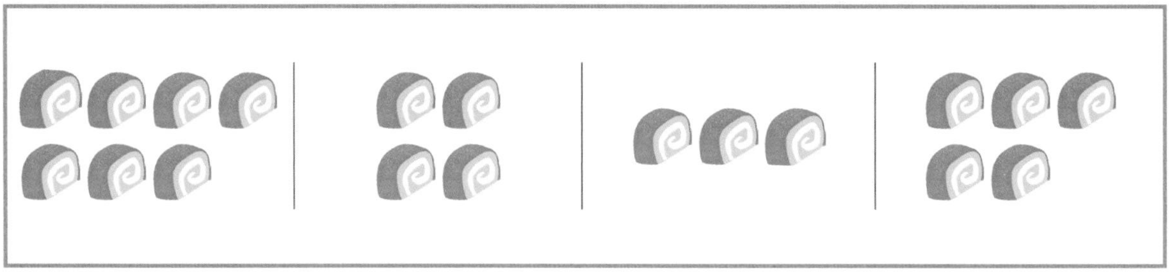

7 4 3 5

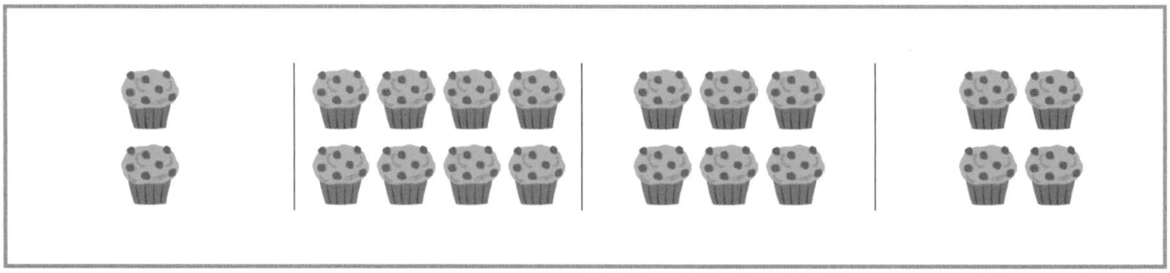

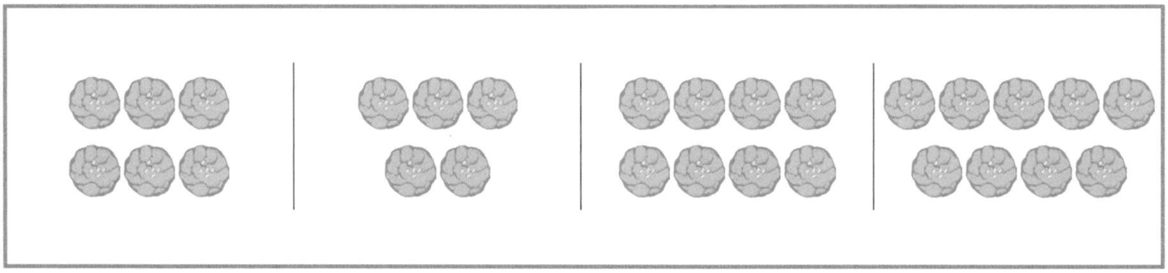

붙임 딱지

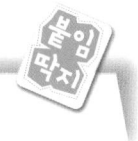

가장 큰 수의 집에 두더지가, 가장 작은 수의 집에 개미가 살아요. 붙임 딱지를 알맞게 붙이세요.

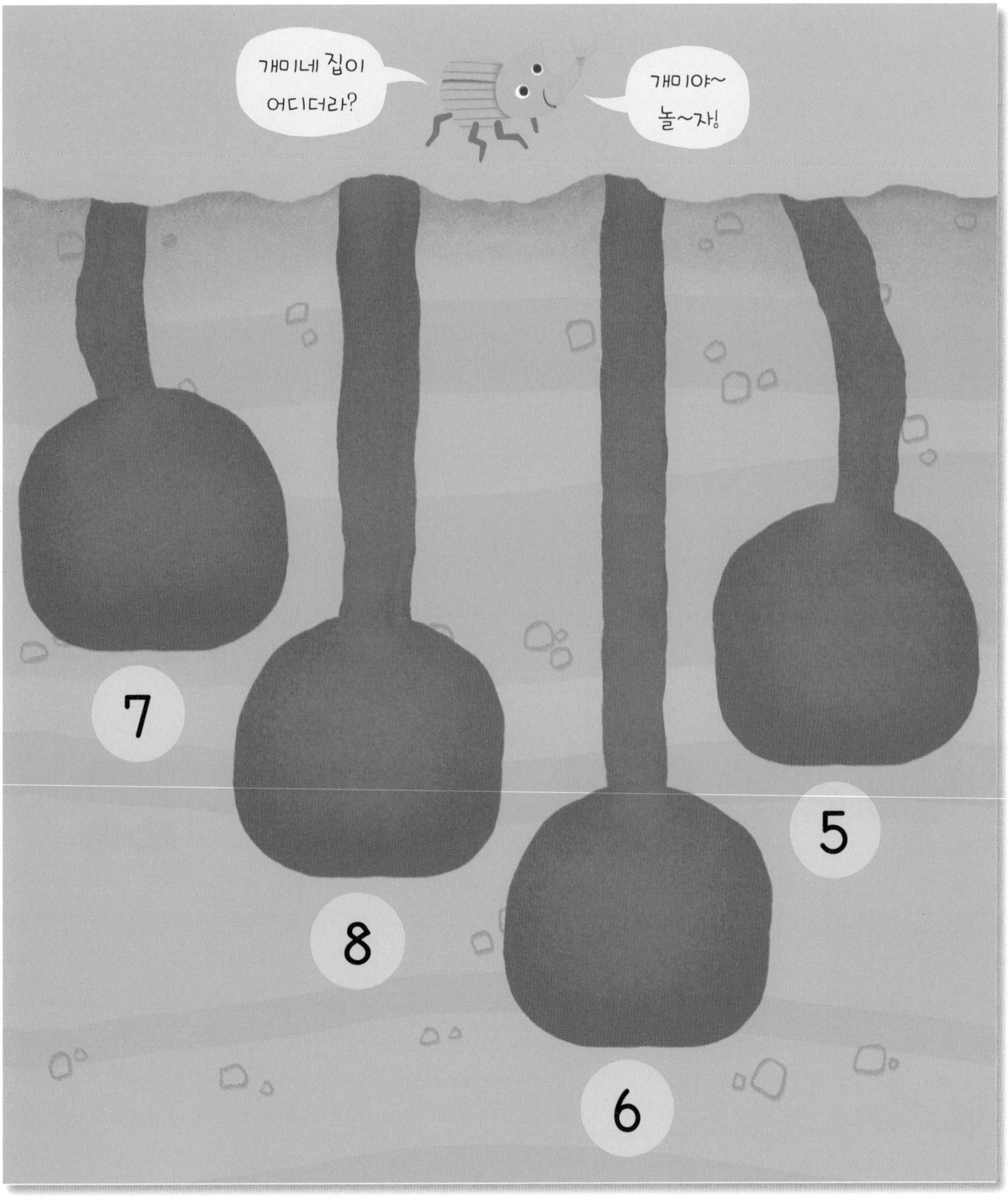

확인학습

◤ 큰 수부터 차례로 쓰세요.

5
2   4

6
8   3

☐ ···· ☐ ···· ☐   ☐ ···· ☐ ···· ☐

◤ 개수를 세어 쓰고 가장 큰 수에 ○표, 가장 작은 수에 △표 하세요.

○   ○   ○   ○

→ 43쪽으로 돌아가 4주 차 학습 기준을 달성했는지 체크해 보세요.

마무리 평가

마무리 평가에서는 1, 2, 3, 4주 차의 유형이 순서대로 나옵니다.
문제가 틀리면 몇 주 차인지 확인하여 반드시 다시 한번 복습합니다.

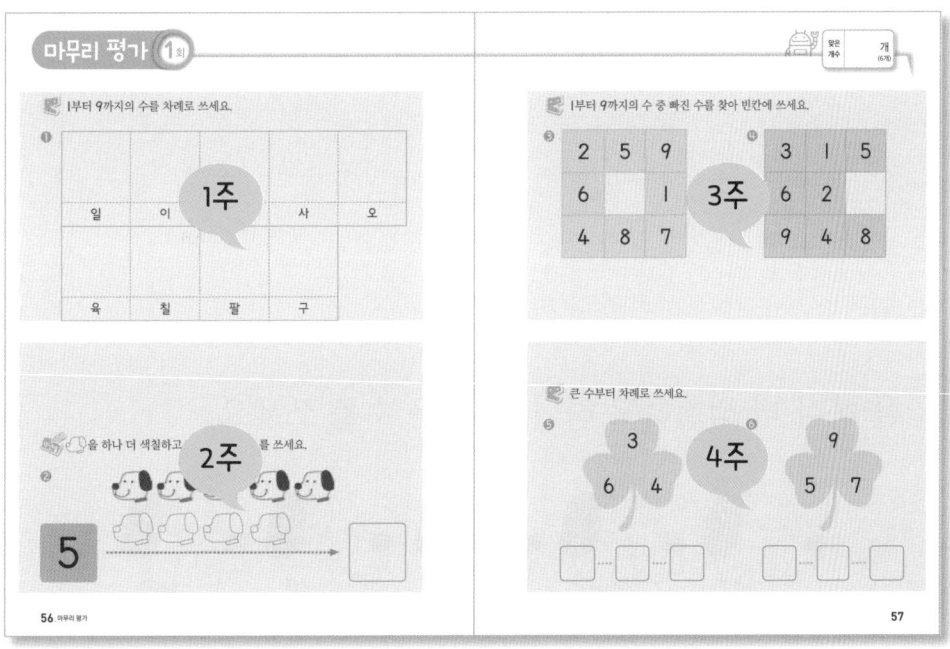

1부터 9까지의 수를 차례로 쓰세요.

❶

일	이	삼	사	오

육	칠	팔	구

🐶을 하나 더 색칠하고 하나 더 많은 수를 쓰세요.

❷

5 ⟶

1부터 9까지의 수 중 빠진 수를 찾아 빈칸에 쓰세요.

❸

2	5	9
6		1
4	8	7

❹

3	1	5
6	2	
9	4	8

큰 수부터 차례로 쓰세요.

❺

3

6 4

[ ] .... [ ] .... [ ]

❻

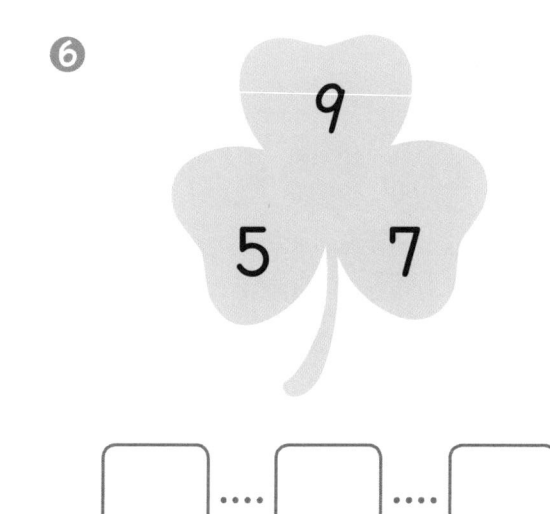

9

5 7

[ ] .... [ ] .... [ ]

수를 세어 보고 알맞은 수를 쓰세요.

❶

❷

하나씩 더 많아지게 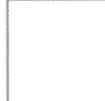을 ○로 그리고 수를 쓰세요.

❸

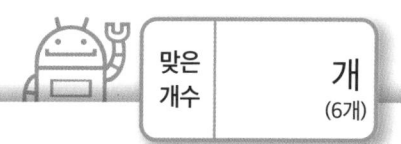
규칙을 찾아 빈 곳에 알맞은 수를 쓰세요.

❹

❺

수만큼 색칠하고 더 작은 수에 ◯표 하세요.

❻

수를 세어 보고 알맞은 수를 쓰세요.

❶
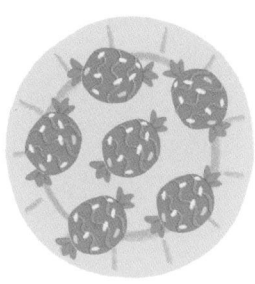

❷
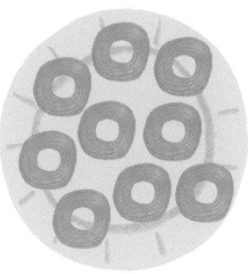

수를 앞으로 세어 보며 빈칸에 알맞은 수를 쓰세요.

❸

❹

📑 왼쪽보다 더 적은 것에 ◯표 하세요.

❺

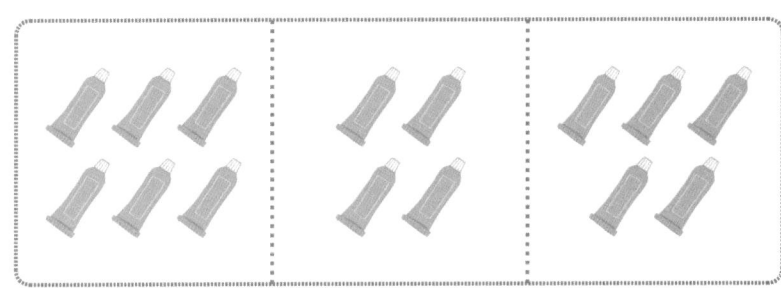

❻

📑 가장 작은 수에 ◯표 하세요.

❼

❽

📷 알맞은 개수를 찾아 색칠하세요.

❶

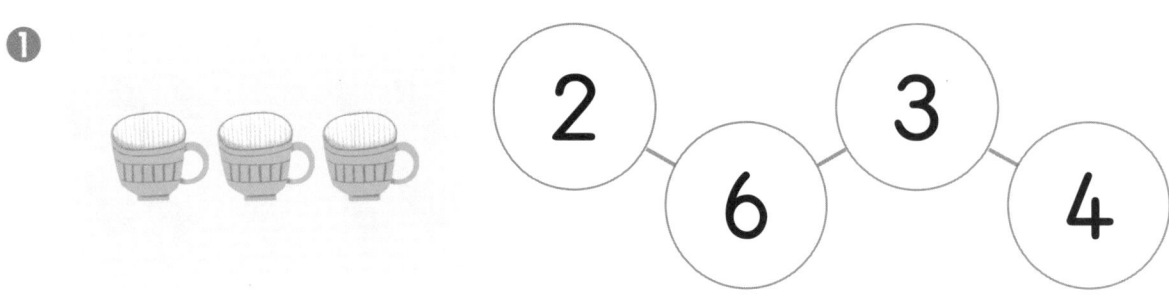

2 6 3 4

❷

6 8 9 7

📷 하나씩 더 적어지게 빵에 ✕표 하고 수를 쓰세요.

❸

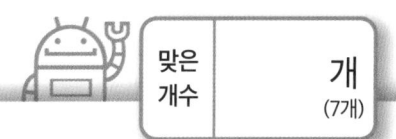

더 큰 수를 지나가는 길을 선으로 이으세요.

❹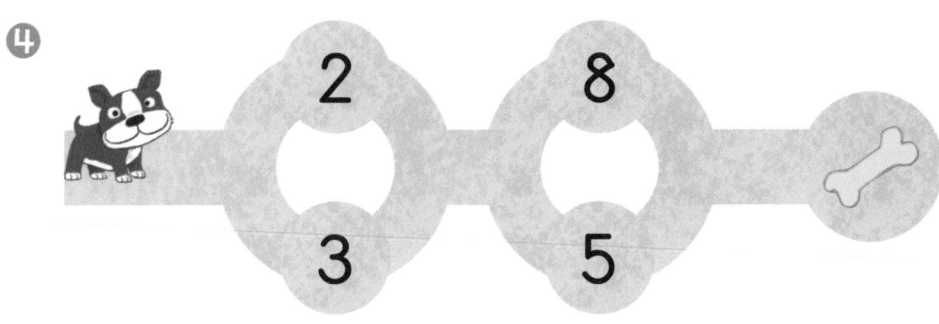

❺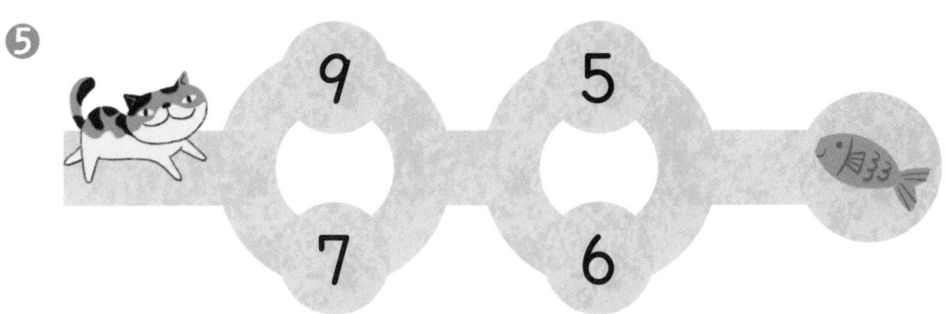

작은 수부터 차례로 쓰세요.

❻ ❼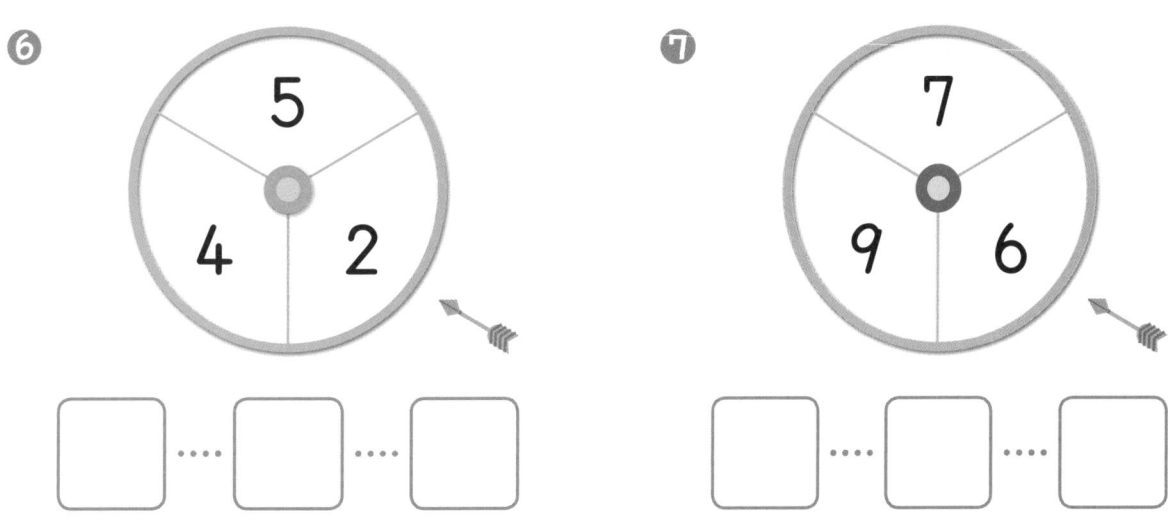

📎 묶은 개수를 세어 보고 수를 쓰세요.

❶ [ ]

❷ [ ]

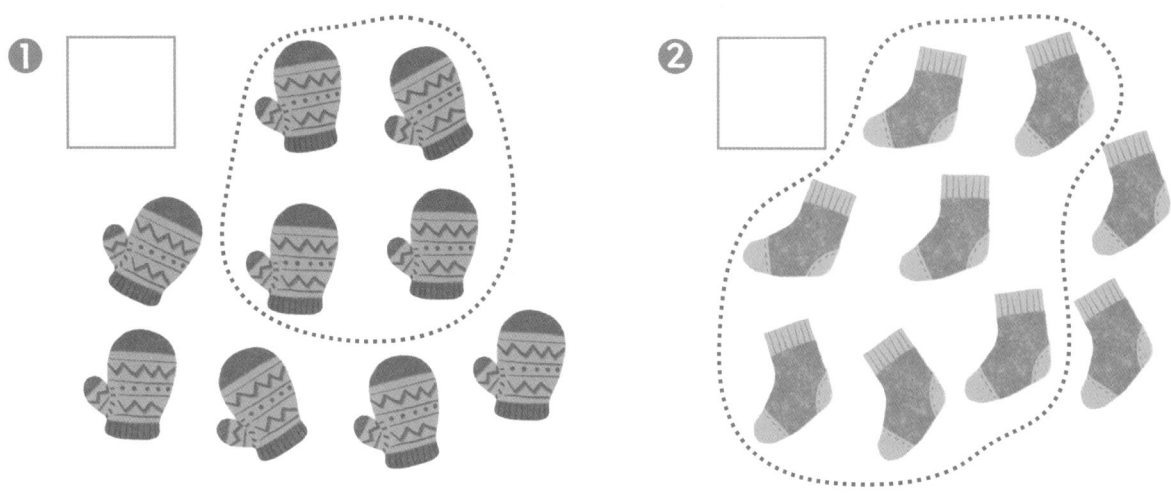

📎 수를 거꾸로 세어 보며 빈칸에 알맞은 수를 쓰세요.

❸

5	4	[ ]
●●●●●	●●●●	●●●

❹

8	7	[ ]

❺

9	8	[ ]	6	[ ]

📎 꽃의 수를 세어 쓰고 가장 큰 수에 ○표, 가장 작은 수에 △표 하세요.

❻
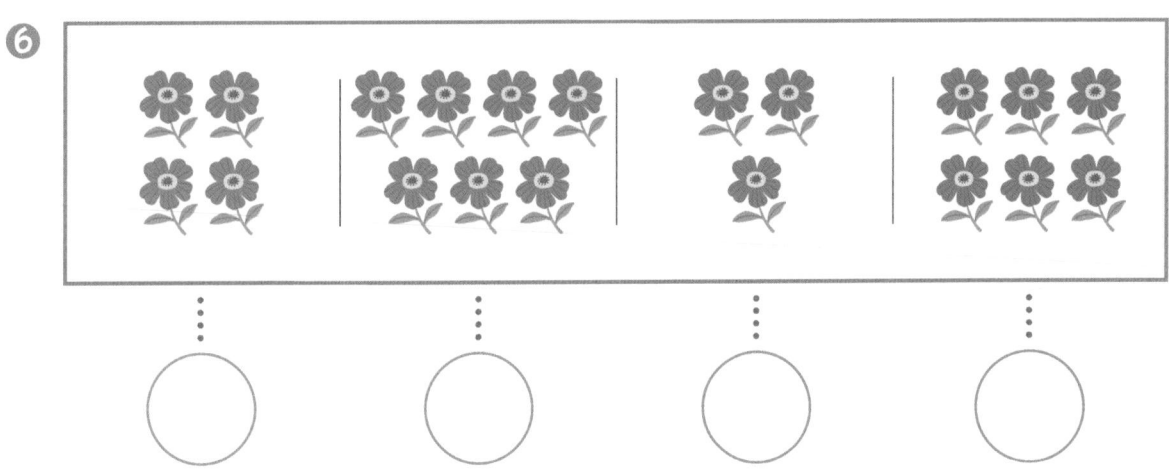

📎 가장 큰 수에 ○표 하세요.

❼

❽

MEMO

MEMO

MEMO

유아 연산의 기준

칸토의 연산

정답

1부터 9까지의 수

1주: 9까지의 수

1일 1, 2, 3, 4

1과 2를 따라 쓰세요.

3과 4를 따라 쓰세요.

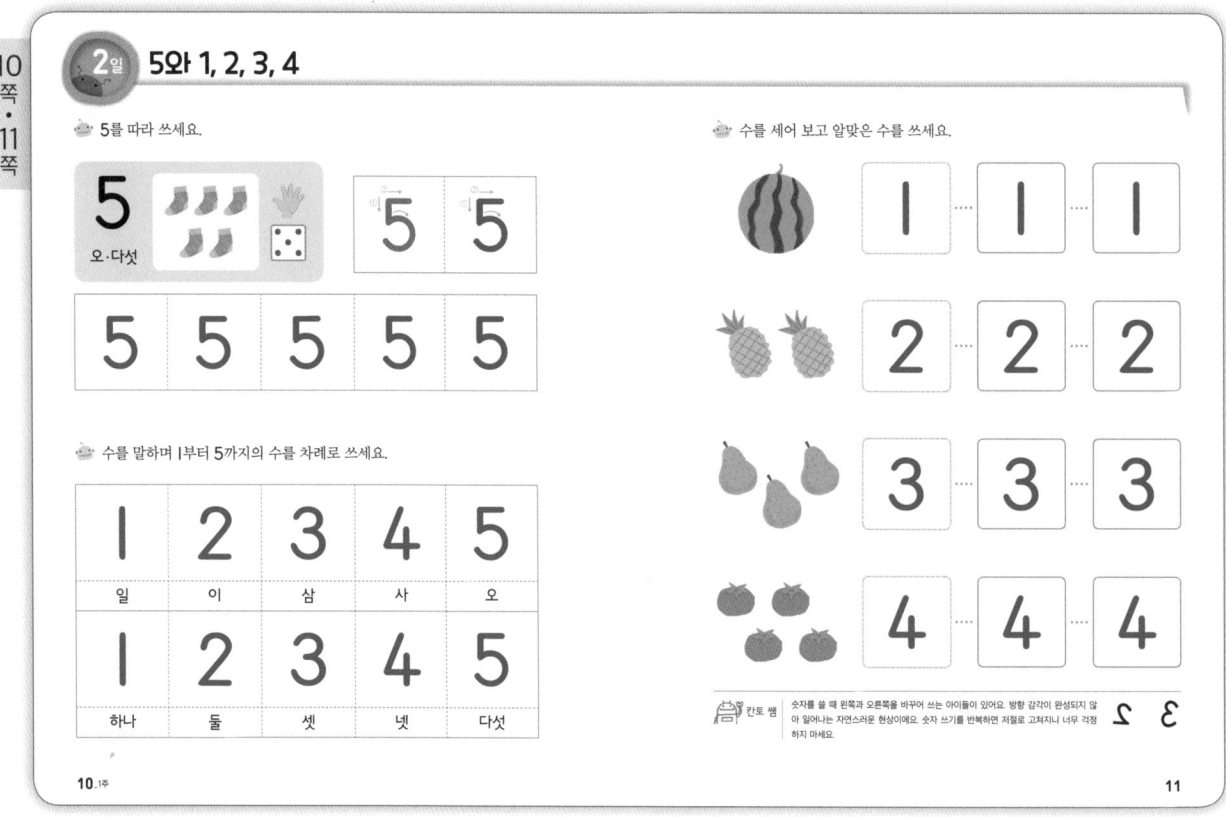

2일 5와 1, 2, 3, 4

5를 따라 쓰세요.

수를 세어 보고 알맞은 수를 쓰세요.

수를 말하며 1부터 5까지의 수를 차례로 쓰세요.

칸토 쌤 숫자를 쓸 때 왼쪽과 오른쪽을 바꾸어 쓰는 아이들이 있어요. 방향 감각이 완성되지 않아 일어나는 자연스러운 현상이에요. 숫자 쓰기를 반복하면 저절로 고쳐지니 너무 걱정 하지 마세요.

 **3일** 6, 7, 8, 9

6과 7을 따라 쓰세요.

 6
육 여섯

6 6

6 6 6 6 6

나는 행운의 숫자야.

 **7**
칠 일곱

7 7

7 7 7 7 7

8과 9를 따라 쓰세요.

 **8**
팔 여덟

8 8

8 8 8 8 8

 **9**
구 아홉

9 9

9 9 9 9 9

칸토 쌤 아이들이 처음 숫자를 쓸 때 모양에 신경 쓰느라 숫자 쓰는 순서를 잘 지키지 못해요. 습관이 잘못 잡히면 나중에 바꾸기 더 힘드니, 처음 쓸 때 순서에 맞게 바로 쓰는 연습을 충분히 해 주세요.

ꟷ ꕤ 6
(6을 '거꾸로 쓰는 경우)

 4일 9까지의 수

수를 세어 보고 알맞은 수를 쓰세요.

여섯

6 ···· 6 ···· 6

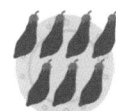

7 ···· 7 ···· 7

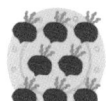

8 ···· 8 ···· 8

9 ···· 9 ···· 9

수를 말하며 1부터 9까지의 수를 차례로 쓰세요.

1	2	3	4	5
일	이	삼	사	오
6	7	8	9	
육	칠	팔	구	

1	2	3	4	5
하나	둘	셋	넷	다섯
6	7	8	9	
여섯	일곱	여덟	아홉	

칸토 쌤 2가지 방법(우리말, 한자말)으로 수를 말하며 9까지의 수를 써 봅니다. 익숙해지면 엄마가 수를 부르고 아이가 수를 쓰는 활동도 해 보세요.

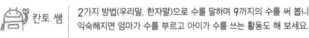

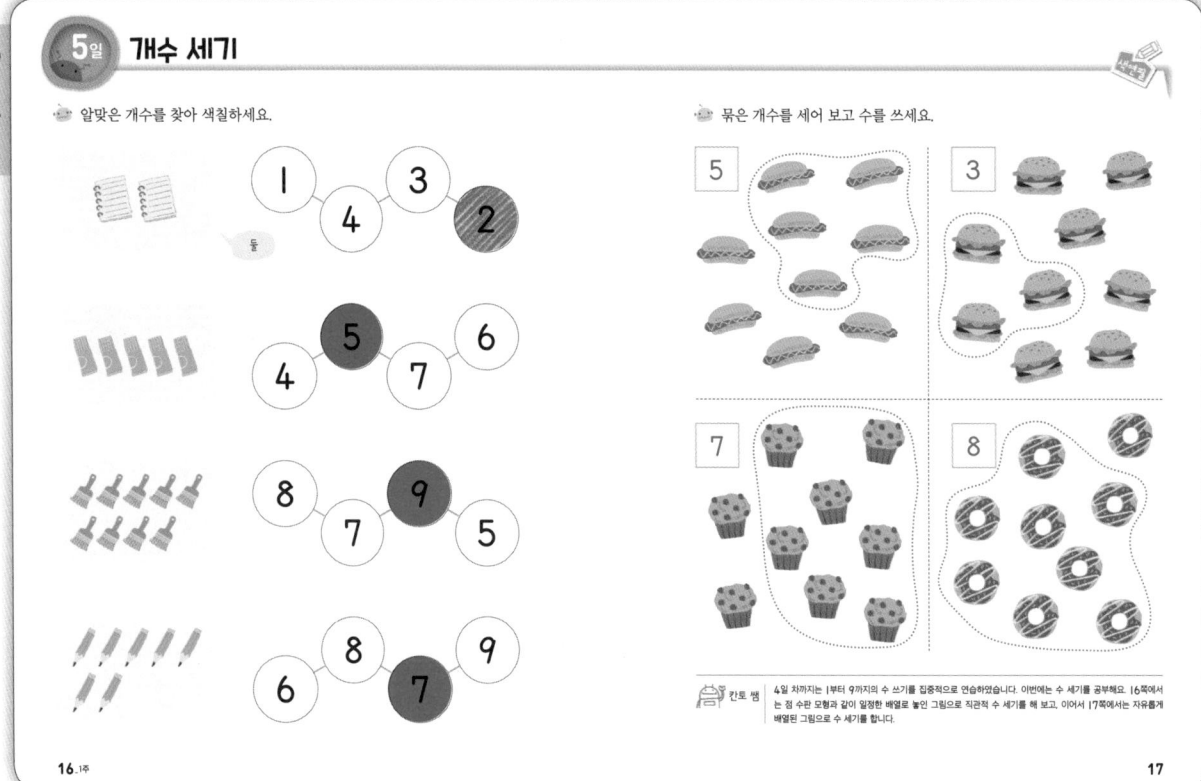

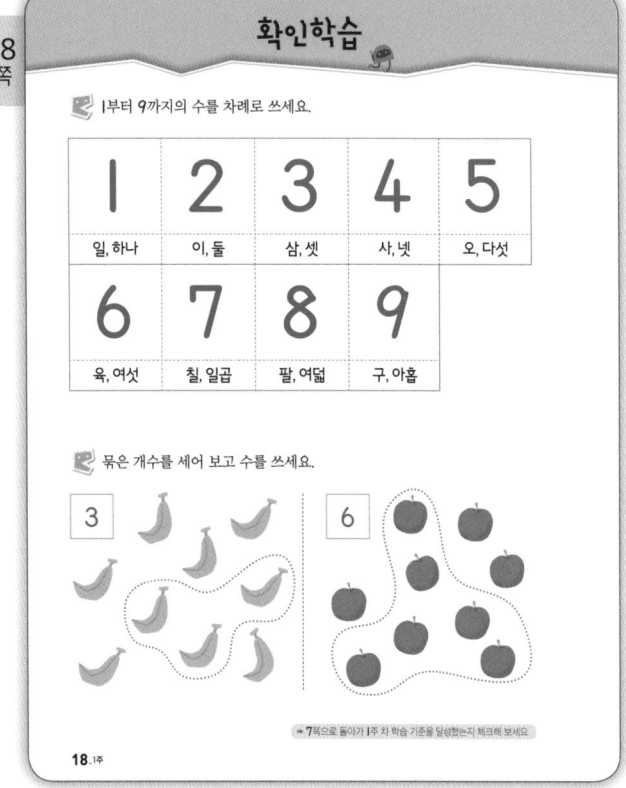

2주: **9까지의 수의 순서**

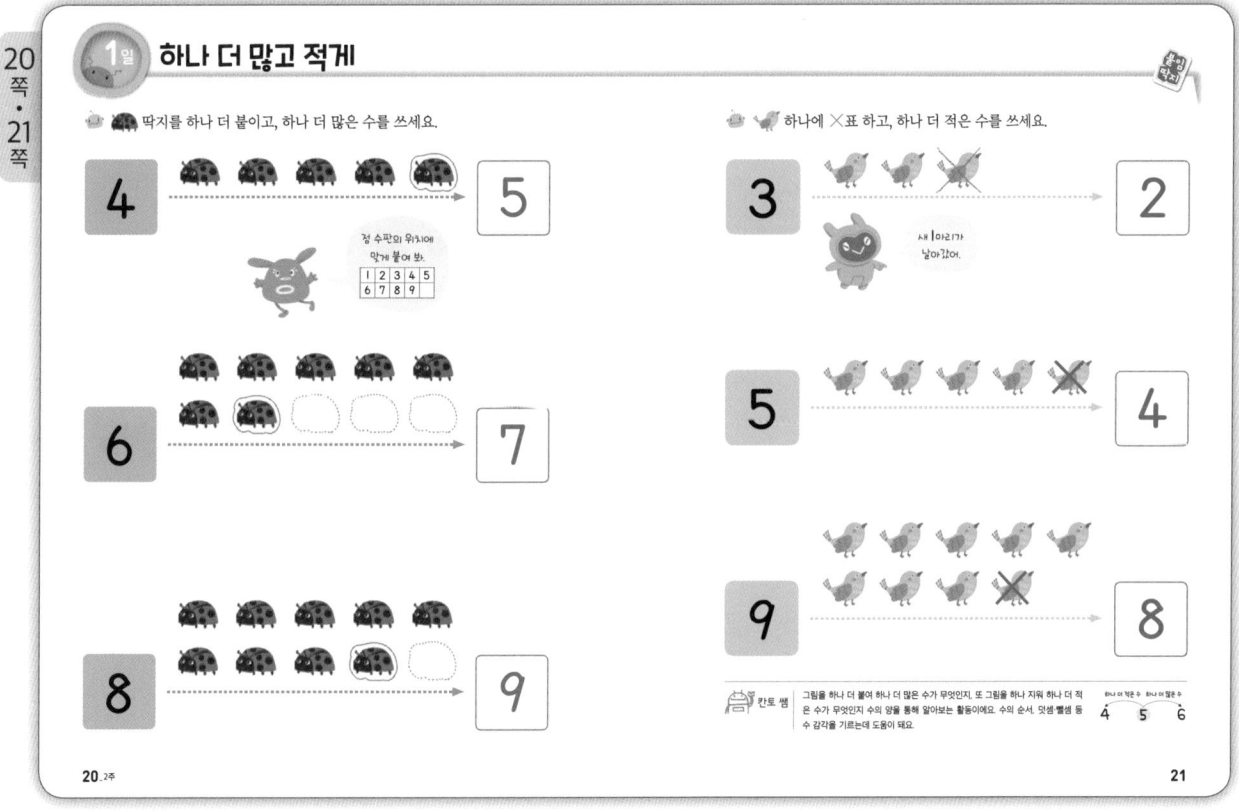

1일 하나 더 많고 적게

딱지를 하나 더 붙이고, 하나 더 많은 수를 쓰세요.

4 → 5

정 수판의 위치에 맞게 붙여 봐.
| 1 | 2 | 3 | 4 | 5 |
| 6 | 7 | 8 | 9 | |

6 → 7

8 → 9

하나에 ×표 하고, 하나 더 적은 수를 쓰세요.

3 → 2

새 1마리가 날아갔어.

5 → 4

9 → 8

칸토 쌤 그림을 하나 더 붙여 하나 더 많은 수가 무엇인지, 또 그림을 하나 지워 하나 더 적은 수가 무엇인지 수의 양을 통해 알아보는 활동이에요. 수의 순서, 덧셈·뺄셈 등 수 감각을 기르는데 도움이 돼요.

하나 더 적은 수 하나 더 많은 수
4 5 6

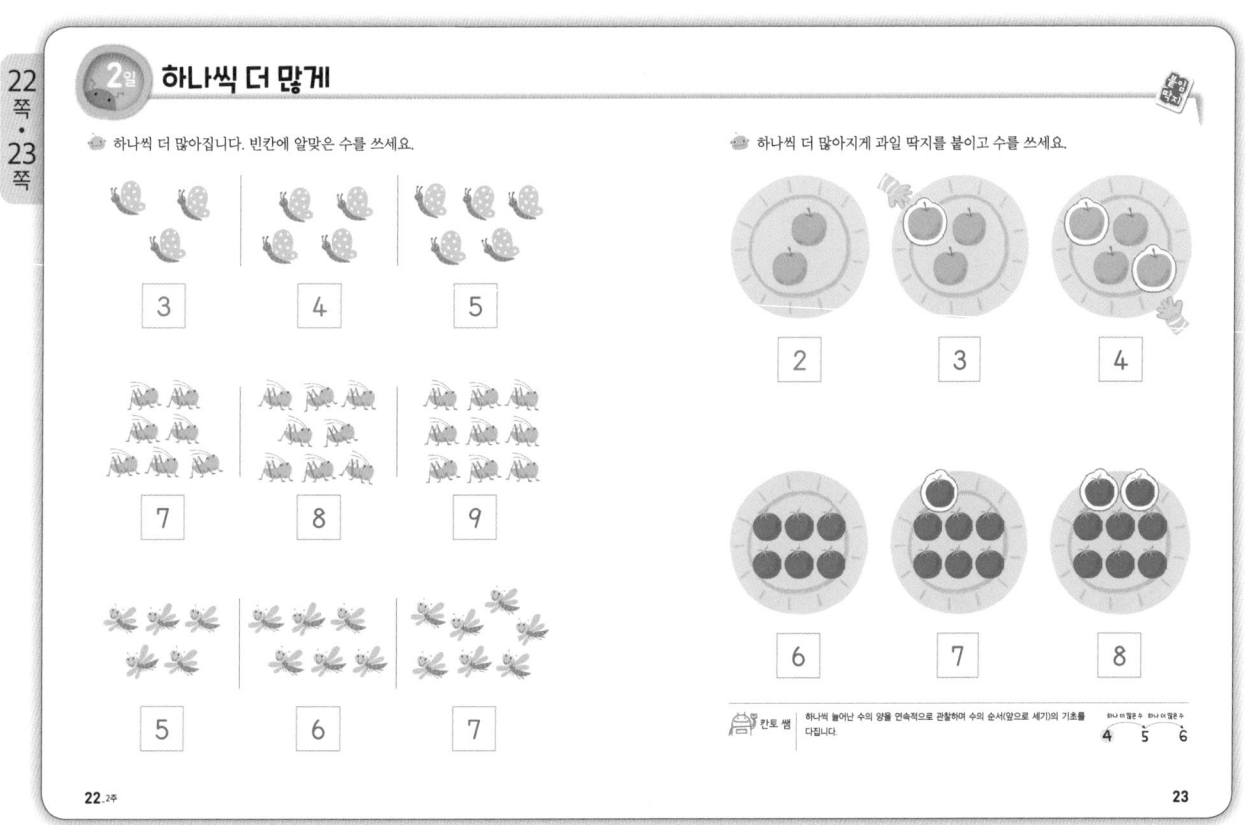

2일 하나씩 더 많게

하나씩 더 많아집니다. 빈칸에 알맞은 수를 쓰세요.

3

4

5

7

8

9

5

6

7

하나씩 더 많아지게 과일 딱지를 붙이고 수를 쓰세요.

2

3

4

6

7

8

칸토 쌤 하나씩 늘어난 수의 양을 연속적으로 관찰하며 수의 순서(앞으로 세기)의 기초를 다집니다.

하나 더 적은 수 하나 더 많은 수
4 5 6

정답

3일 앞으로 세기

앞으로 세어 보며 빈칸에 알맞은 수를 쓰세요.

2 … 3 … 4

수를 앞으로
하나씩 세면
1. 2. 3. 4. 5!

1 … 2 … 3   3 … 4 … 5

4 … 5 … 6 … 7

5 … 6 … 7 … 8 … 9

앞으로 세어 보며 빈칸에 알맞은 수를 쓰세요.

1 2 3 4

4 5 6 7

6 7 8 9

칸토 쌤 '앞으로 세기는 하나 더 많은 수를 쉽게 알 수 있게 해 주는 도구예요.
1부터 9까지 앞으로 세기를 능숙하게 하면 어떤 수부터 시작하여 수를 이어 세는 '이어 세기'를 해 보세요.

5 → 5. 6. 7. 8. 9
7 → 7. 8. 9

4일 하나씩 더 적게

하나씩 더 적어집니다. 빈칸에 알맞은 수를 쓰세요.

3   2   1

7   6   5

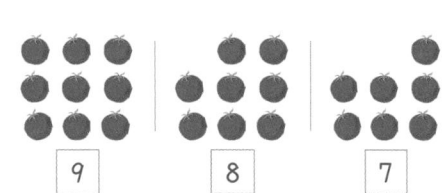

9   8   7

하나씩 더 적어지게 빵에 ✕표 하고 수를 쓰세요.

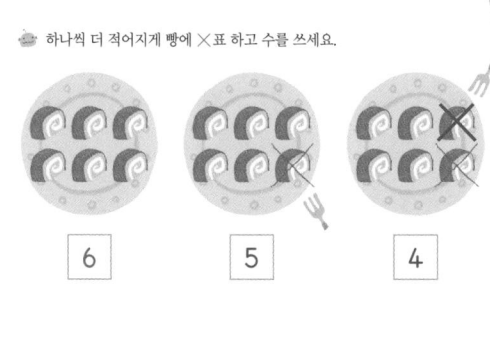

6   5   4

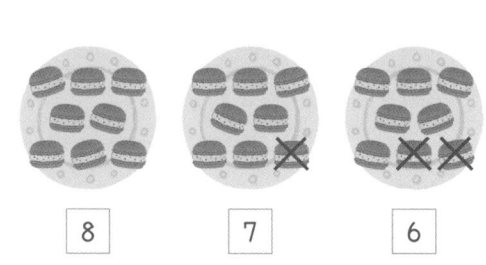

8   7   6

칸토 쌤 하나씩 줄어든 수의 양을 연속적으로 관찰하며 수의 순서(거꾸로 세기)의 기초를 다집니다.

하나 더 적은 수 하나 더 적은 수
7 6 5

5일 **거꾸로 세기**

수를 거꾸로 세어 보며 빈칸에 알맞은 수를 쓰세요.

| 4 | … | 3 | … | 2 |

수를 거꾸로
하나씩 세면
5. 4. 3. 2. 1!

| 3 | … | 2 | … | 1 | | 6 | … | 5 | … | 4 |

| 7 | … | 6 | … | 5 | … | 4 |

| 9 | … | 8 | … | 7 | … | 6 | … | 5 |

수를 거꾸로 세어 보며 빈칸에 알맞은 수를 쓰세요.

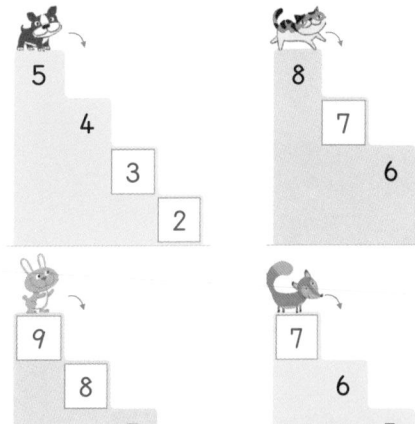

5
4
3
2

8
7
6
5

9
8
7
6

7
6
5
4

칸토 쌤 '거꾸로 세기'는 하나 더 적은 수를 쉽게 알 수 있게 해 주는 도구예요.
9부터 1까지 거꾸로 세기를 능숙하게 하면 어떤 수부터 시작하여 수를
거꾸로 이어 세는 '이어 세기'를 해 보세요.

4 → 4. 3. 2. 1
6 → 6. 5. 4. 3. 2. 1

확인학습

하나씩 더 많아집니다. 빈칸에 알맞은 수를 쓰세요.

| 6 | | 7 | | 8 |

수를 앞으로 세고 뒤로 세어 보며, 빈칸에 알맞은 수를 쓰세요.

| 2 | … | 3 | … | 4 | | 3 | … | 2 | … | 1 |

| 5 | … | 6 | … | 7 | … | 8 |

| 8 | … | 7 | … | 6 | … | 5 | … | 4 |

➡ 19쪽으로 돌아가 2주 차 학습 기준을 달성했는지 체크해 보세요.

2주

정답

3주: 수의 크기 비교(1)

1일 1부터 9까지

🐧 펭귄이 집을 찾아가도록 1부터 9까지 차례로 선으로 이으세요.

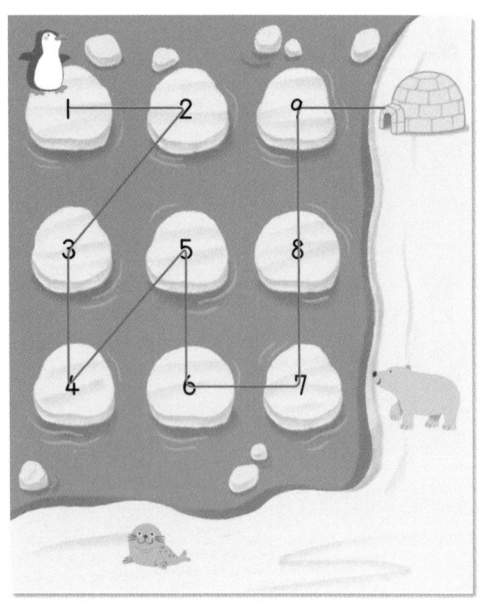

🐧 1부터 9까지의 수 중 빠진 수를 찾아 수 딱지를 붙이세요.

🏠 칸토 쌤 아이와 함께 실생활에서 1부터 9까지 수의 순서를 익혀 보세요.
➡ 어질러진 책을 번호대로 정리하기, 엘리베이터 버튼에서 1부터 순서대로 찾기, 초시계로 시간 재기

32 ·3주

33

2일 앞으로 세기, 거꾸로 세기

🎄 규칙을 찾아 빈 곳에 알맞은 수를 쓰세요.

1 ···· 2 ···· 3 ···· 4

앞으로 세면
1. 2. 3. 4. 5
거꾸로 세면
5. 4. 3. 2. 1

5 ···· 4 ···· 3 ···· 2

5 ···· 6 ···· 7 ···· 8 ···· 9

9 ···· 8 ···· 7 ···· 6 ···· 5

🐭 하나씩 더 많게, 하나씩 더 적게 빈 곳에 알맞은 수 딱지를 붙이세요.

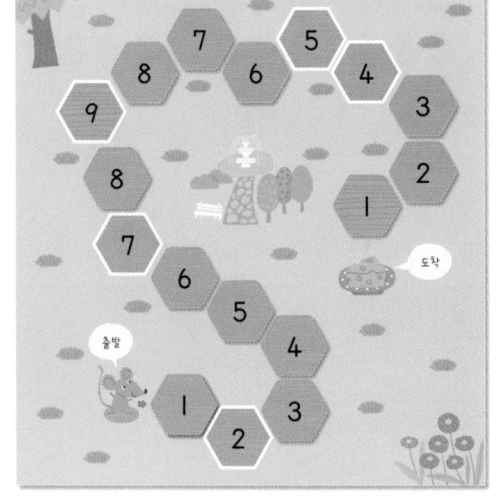

🏠 칸토 쌤 나열된 수의 규칙을 찾아 앞으로 세기와 거꾸로 세기를 하는 활동이에요. 지금까지 배운 하나 더 많은 수·하나 더 적은 수, 앞으로 세기·거꾸로 세기를 모두 이용해야 풀 수 있는 문제예요.

6 하나 더 많다
5
4 하나 더 적다

34 ·3주

35

8

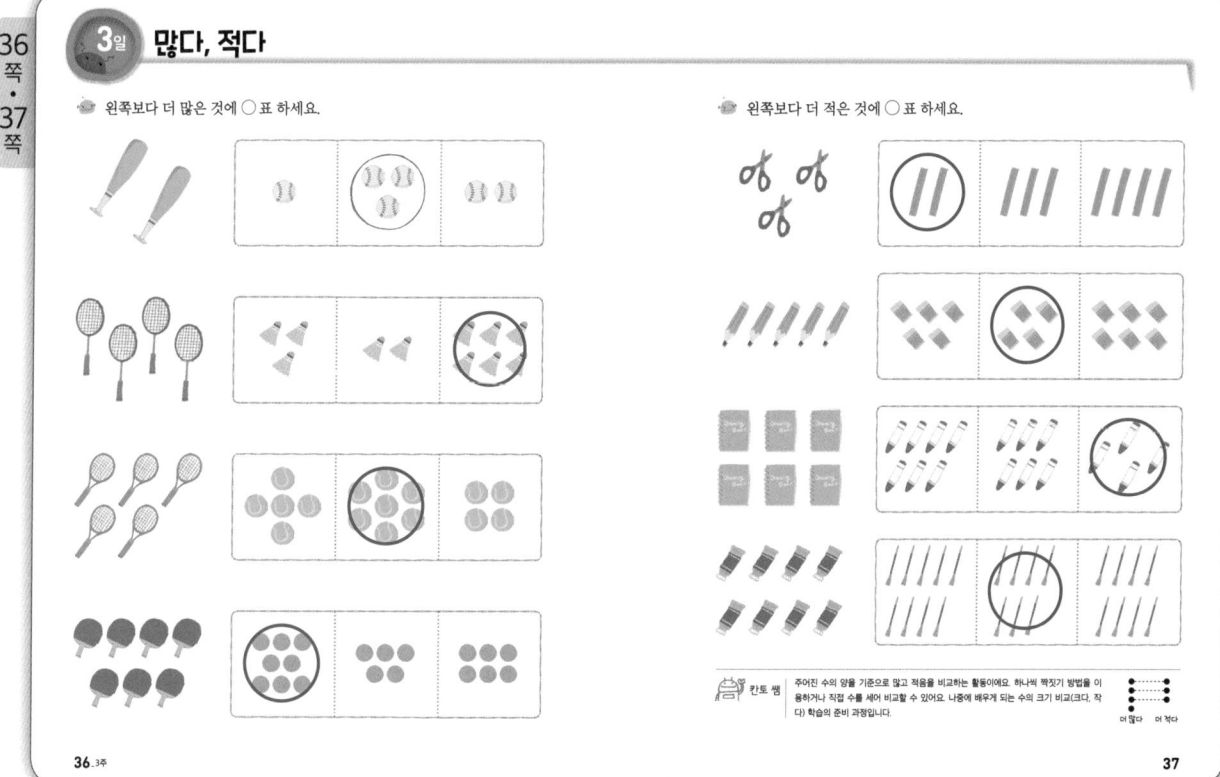

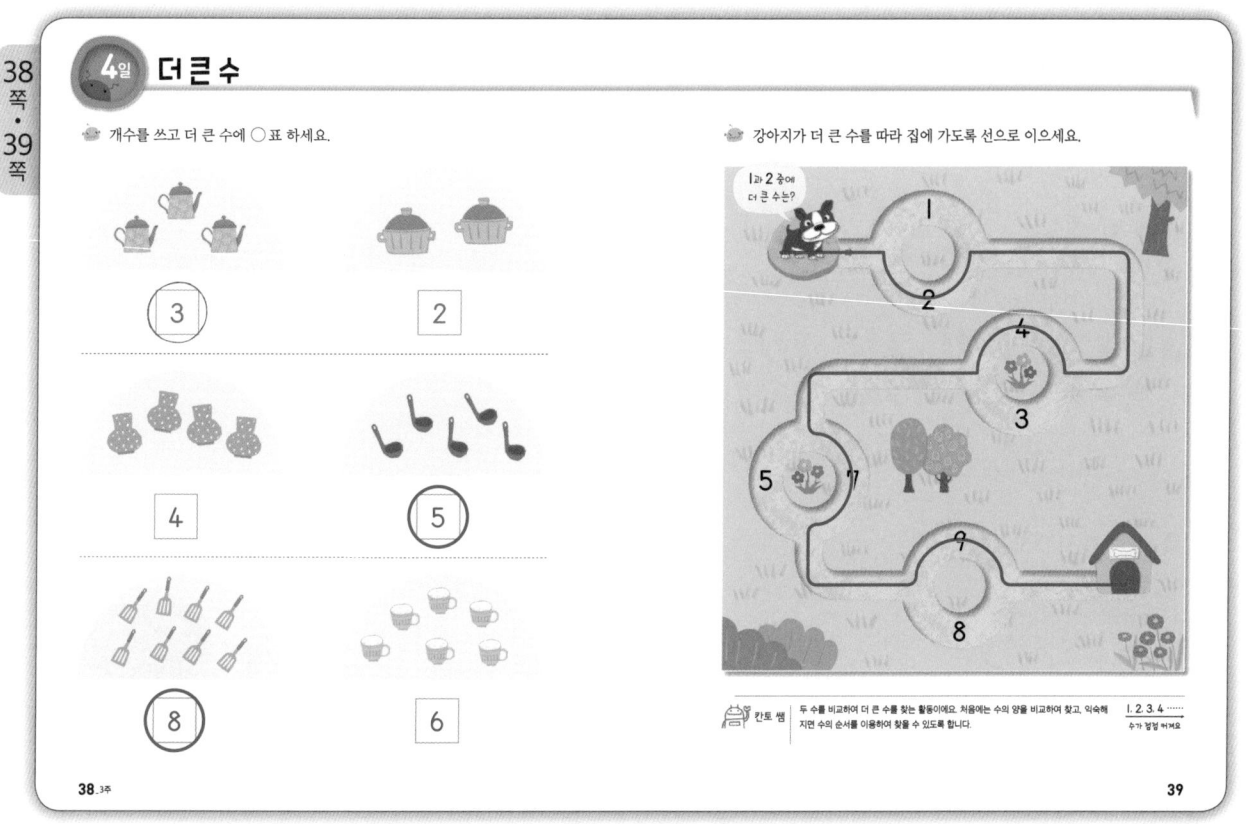

5일 가장 큰 수

가장 큰 수를 찾아 색칠하세요.

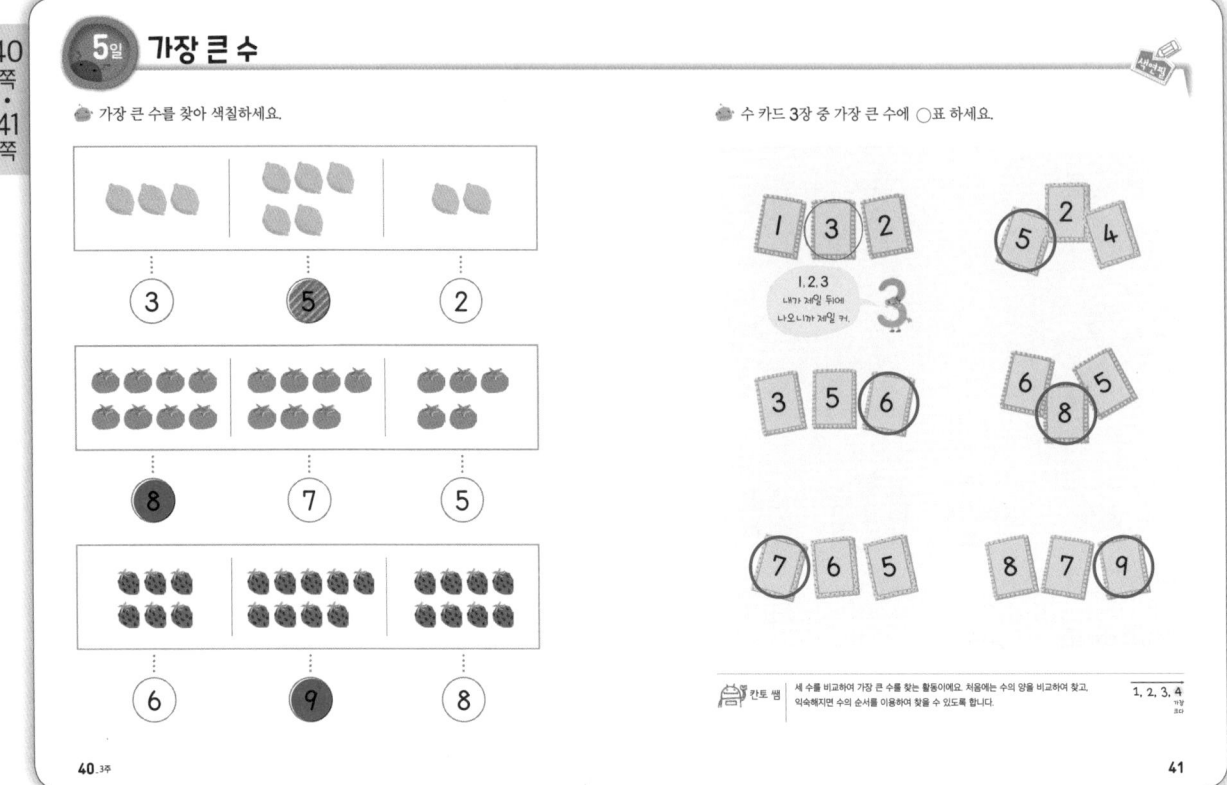

수 카드 3장 중 가장 큰 수에 ○표 하세요.

🦫 칸토 쌤 세 수를 비교하여 가장 큰 수를 찾는 활동이에요. 처음에는 수의 양을 비교하여 찾고, 익숙해지면 수의 순서를 이용하여 찾을 수 있도록 합니다.

1, 2, 3, 4
가장 크다

확인학습

왼쪽보다 더 적은 것에 ○표 하세요.

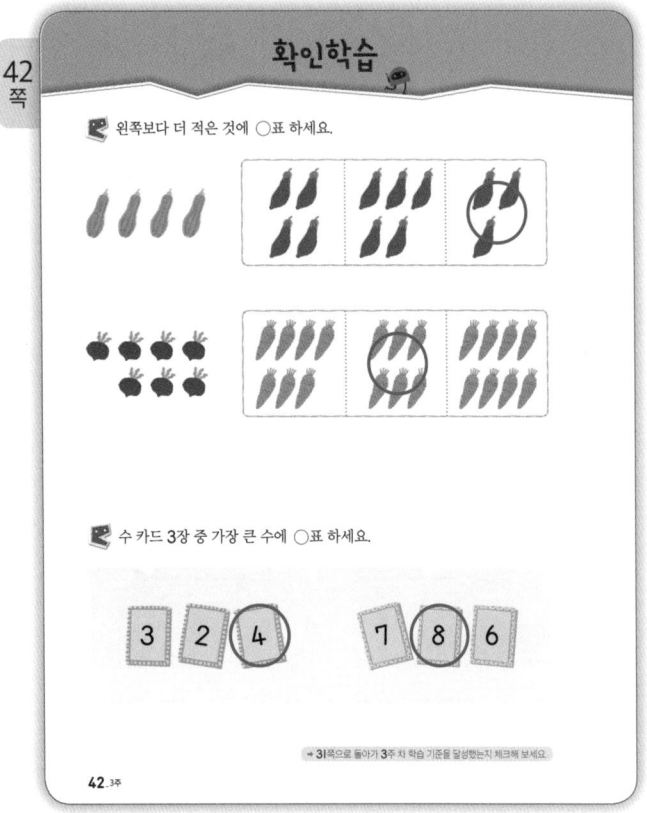

수 카드 3장 중 가장 큰 수에 ○표 하세요.

➡ 31쪽으로 돌아가 3주 차 학습 기준을 달성했는지 체크해 보세요

3주

4주: 수의 크기 비교(2)

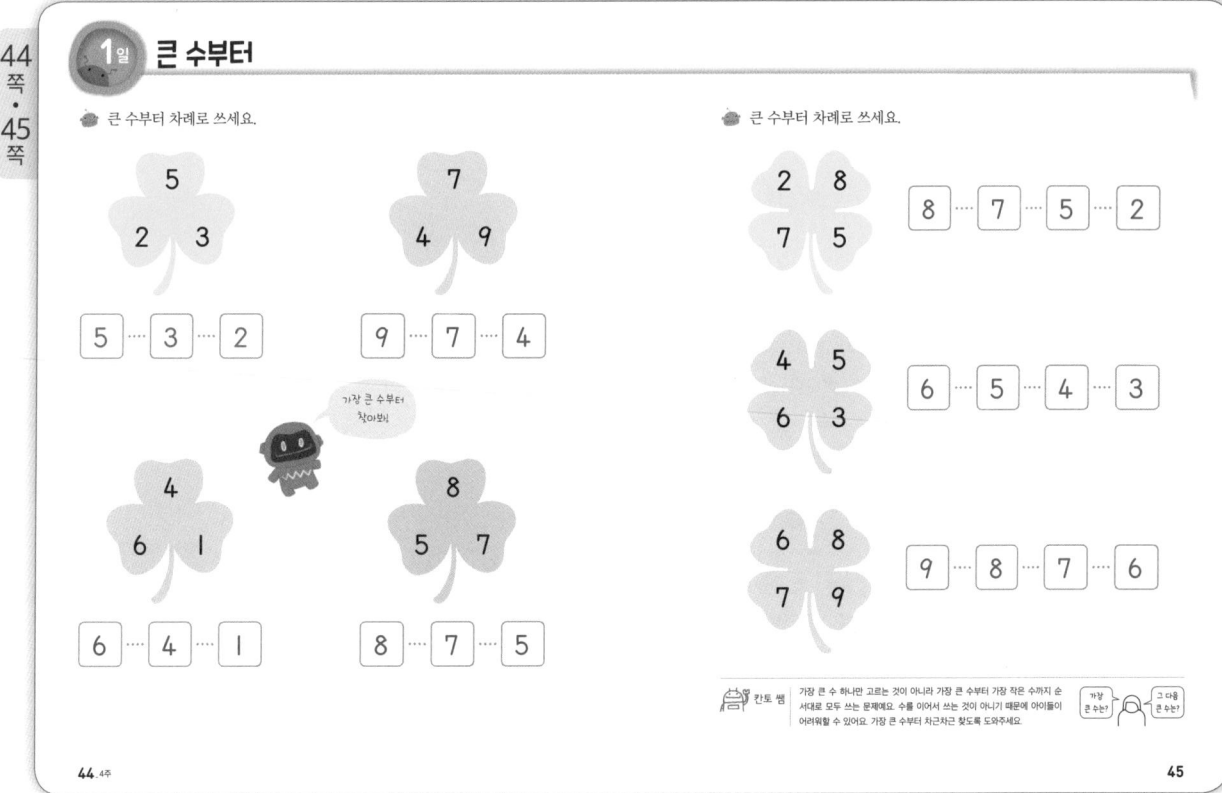

1일 큰 수부터

🍀 큰 수부터 차례로 쓰세요.

5 2 3

7 4 9

5 … 3 … 2

9 … 7 … 4

가장 큰 수부터 찾아봐!

4 6 1

8 5 7

6 … 4 … 1

8 … 7 … 5

🍀 큰 수부터 차례로 쓰세요.

2 8 7 5

8 … 7 … 5 … 2

4 5 6 3

6 … 5 … 4 … 3

6 8 7 9

9 … 8 … 7 … 6

칸토 쌤 가장 큰 수 하나만 고르는 것이 아니라 가장 큰 수부터 가장 작은 수까지 순 서대로 모두 쓰는 문제예요. 수를 이어서 쓰는 것이 아니기 때문에 아이들이 어려워할 수 있어요. 가장 큰 수부터 차근차근 찾도록 도와주세요.

가장 큰 수는? · 그 다음 큰 수는?

44 .4주

45

2일 더 작은 수

🎾 수만큼 색칠하고 더 작은 수에 ○표 하세요.

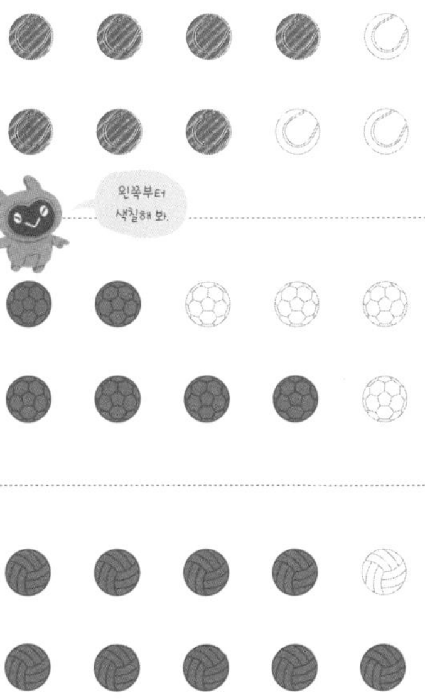

4

③

2

4

아래쪽부터 색칠해 봐!

④

5

🏐 수만큼 색칠하고 더 작은 수에 ○표 하세요.

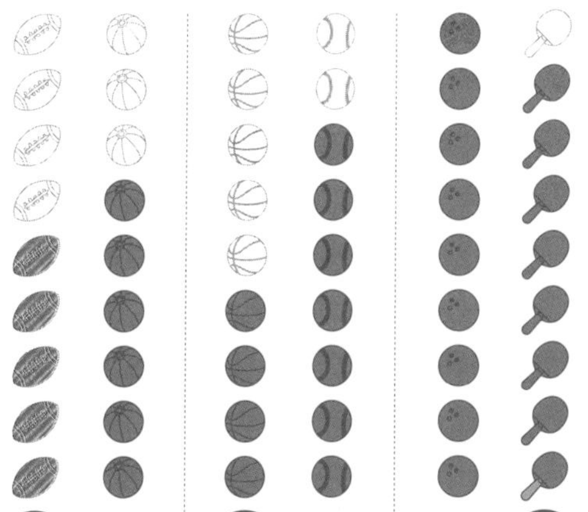

⑤ 6

④ 7

9 ⑧

칸토 쌤 두 수를 비교하여 더 작은 수를 찾는 활동이에요. 처음에는 수의 양을 비교하여 찾고, 익숙해지면 수의 순서를 이용하여 간단히 찾도록 합니다.

1, 2, 3, 4, 5
수가 점점 작아져요

46 .4주

47

11

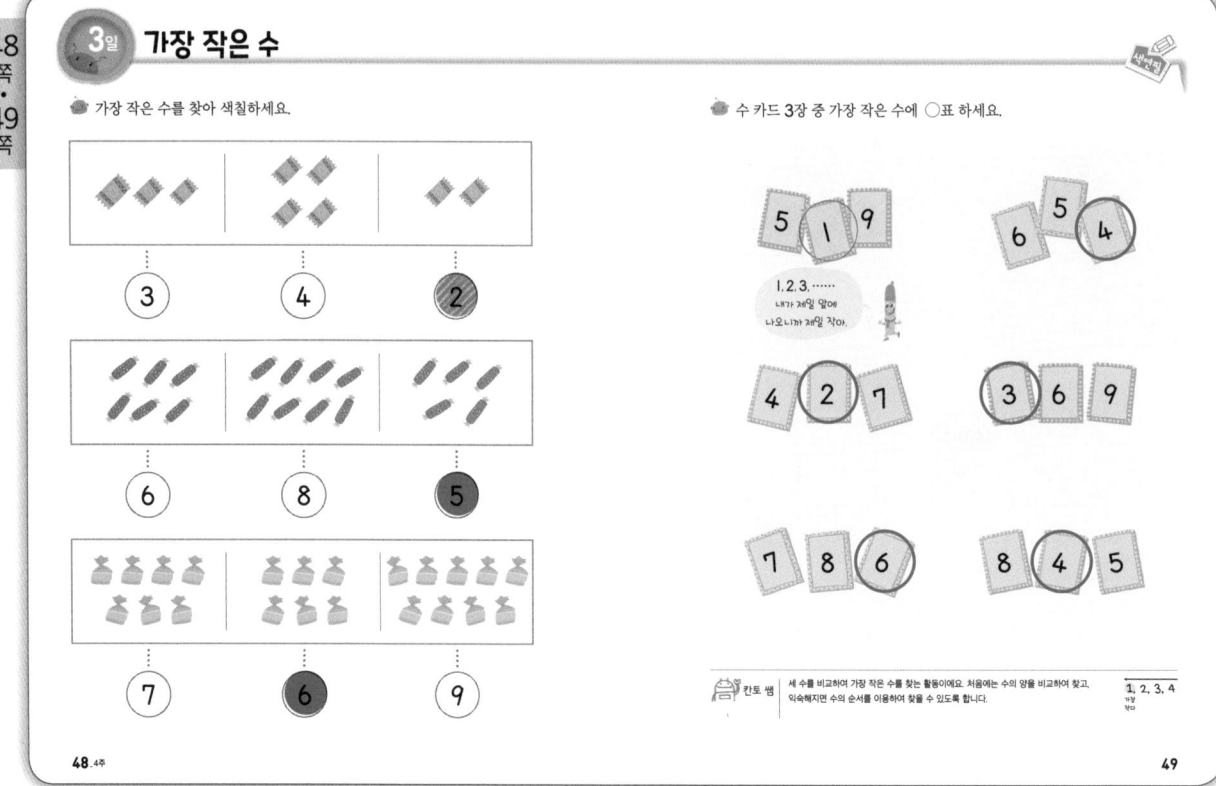

3일 가장 작은 수

가장 작은 수를 찾아 색칠하세요.

수 카드 3장 중 가장 작은 수에 ○표 하세요.

48 .4주

49

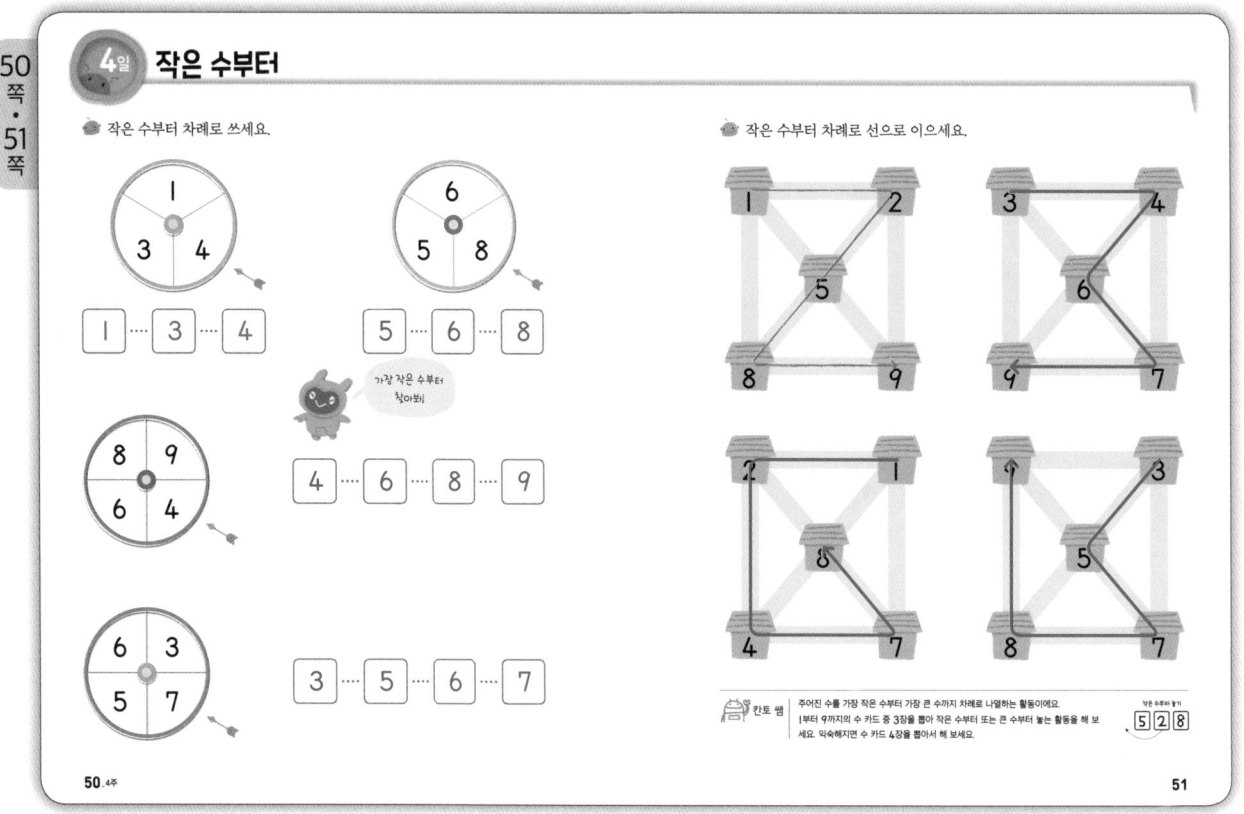

4일 작은 수부터

작은 수부터 차례로 쓰세요.

작은 수부터 차례로 선으로 이으세요.

50 .4주

51

12

5일 가장 큰 수, 가장 작은 수

개수를 세어 쓰고 가장 큰 수에 ○표, 가장 작은 수에 △표 하세요.

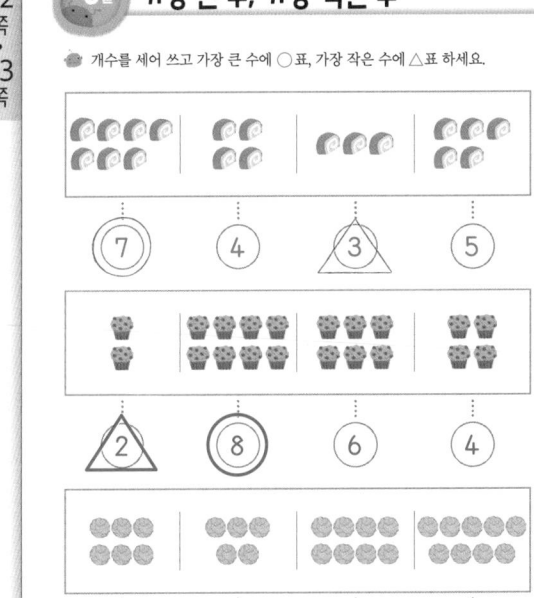

⑦ ④ △3△ ⑤

△2△ ⑧ ⑥ ④

⑥ △5△ ⑧ ⑨

가장 큰 수의 집에 두더지가, 가장 작은 수의 집에 개미가 살아요. 붙임 딱지를 알맞게 붙이세요.

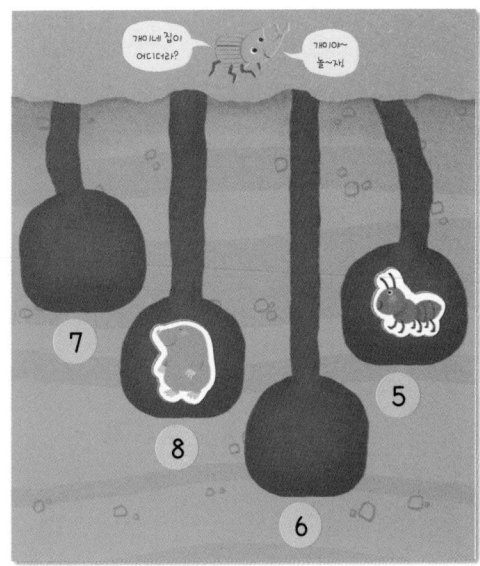

확인학습

큰 수부터 차례로 쓰세요.

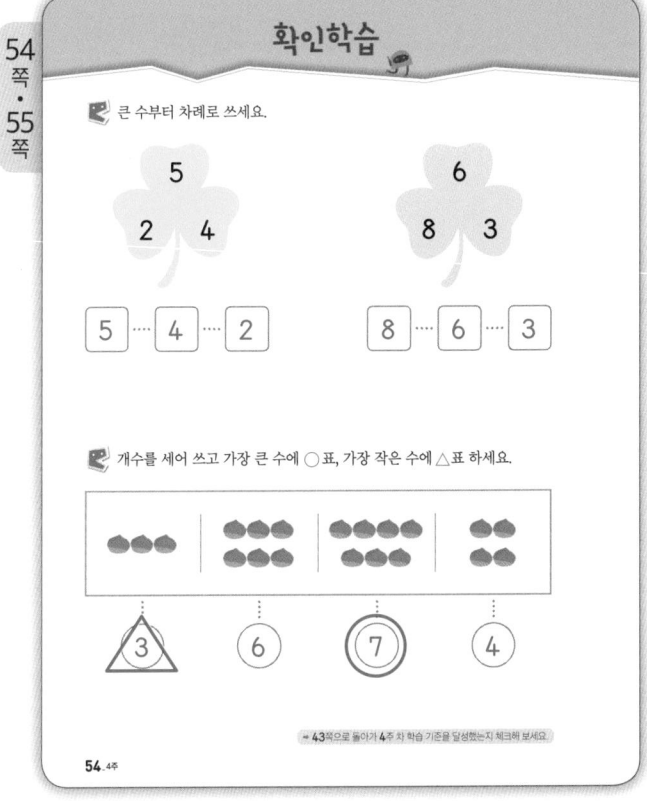

5 ···· 4 ···· 2   8 ···· 6 ···· 3

개수를 세어 쓰고 가장 큰 수에 ○표, 가장 작은 수에 △표 하세요.

△3△ ⑥ ⑦ ④

➡ 43쪽으로 돌아가 4주 차 학습 기준을 달성했는지 체크해 보세요

4주

13

정답

마무리 평가

마무리 평가 1회

맞은 개수 □ 개 (6개)

📝 1부터 9까지의 수를 차례로 쓰세요.

❶

1	2	3	4	5
일	이	삼	사	오

6	7	8	9
육	칠	팔	구

📝 1부터 9까지의 수 중 빠진 수를 찾아 빈칸에 쓰세요.

❸

2	5	9
6	3	1
4	8	7

❹

3	1	5
6	2	7
9	4	8

📝 을 하나 더 색칠하고 하나 더 많은 수를 쓰세요.

❷

5  → 6

📝 큰 수부터 차례로 쓰세요.

❺

3
6 4

6 ···· 4 ···· 3

❻

9
5 7

9 ···· 7 ···· 5

56_마무리 평가

57

마무리 평가 2회

맞은 개수 □ 개 (6개)

📝 수를 세어 보고 알맞은 수를 쓰세요.

❶ 3

❷ 6

📝 규칙을 찾아 빈 곳에 알맞은 수를 쓰세요.

❹ 4 ···· 5 ···· 6 ···· 7

❺ 8 ···· 7 ···· 6 ···· 5

📝 하나씩 더 많아지게 🍅을 ○로 그리고 수를 쓰세요.

❸

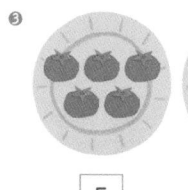 5

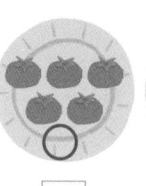 6

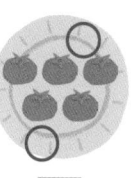 7

📝 수만큼 색칠하고 더 작은 수에 ○표 하세요.

❻ 6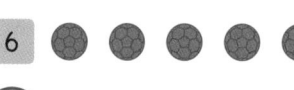

（5） ...

58_마무리 평가

59

14

마무리 평가 3회

맞은 개수 [ ] 개 (8개)

📖 수를 세어 보고 알맞은 수를 쓰세요.

❶ [6]

❷ [9]

📖 수를 앞으로 세어 보며 빈칸에 알맞은 수를 쓰세요.

❸ 3 ···· 4 ···· 5

❹ 4 ···· 5 ···· 6 ···· 7 ···· 8

📖 왼쪽보다 더 적은 것에 ○표 하세요.

❺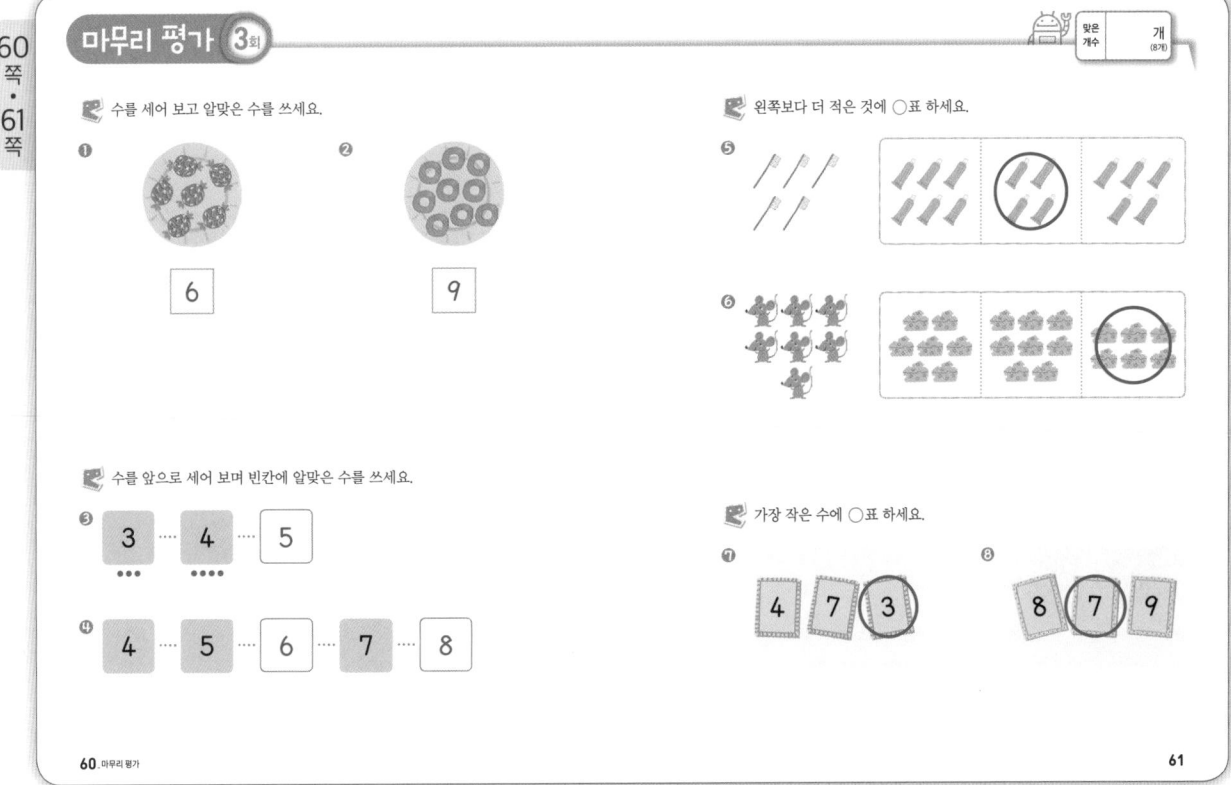

❻

📖 가장 작은 수에 ○표 하세요.

❼ 4 7 ③

❽ 8 ⑦ 9

마무리 평가 4회

맞은 개수 [ ] 개 (7개)

📖 알맞은 개수를 찾아 색칠하세요.

❶ 2 6 ③ 4

❷ 6 ⑧ 9 7

📖 하나씩 더 적어지게 빵에 ✕표 하고 수를 쓰세요.

❸ [6] [5] [4]

📖 더 큰 수를 지나가는 길을 선으로 이으세요.

❹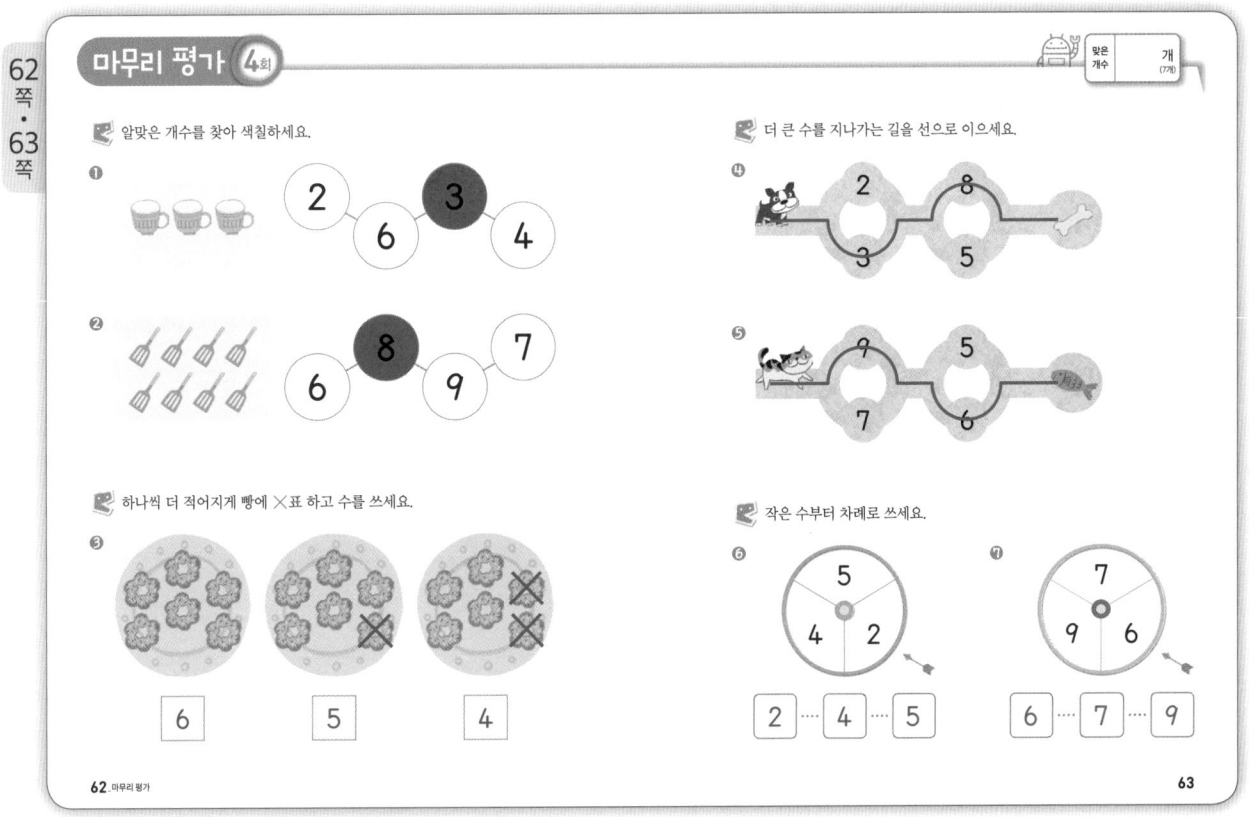

❺

📖 작은 수부터 차례로 쓰세요.

❻ 5 4 2
2 ···· 4 ···· 5

❼ 7 9 6
6 ···· 7 ···· 9

64
쪽
·
65
쪽

마무리 평가 5회

📖 묶은 개수를 세어 보고 수를 쓰세요.

① 4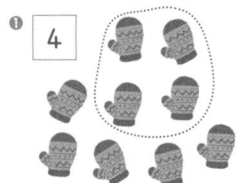

② 7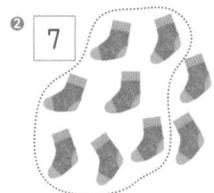

📖 수를 거꾸로 세어 보며 빈칸에 알맞은 수를 쓰세요.

③  5 ···· 4 ···· 3

④  8 ···· 7 ···· 6

⑤  9 ···· 8 ···· 7 ···· 6 ···· 5

📖 꽃의 수를 세어 쓰고 가장 큰 수에 ○표, 가장 작은 수에 △표 하세요.

⑥

4   ⑦   △3   6

📖 가장 큰 수에 ○표 하세요.

⑦
3 ⑥ 5

⑧
⑨ 8 7

6쪽

20쪽

23쪽

23쪽

33쪽

35쪽

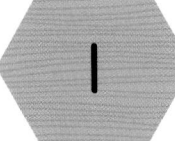 

53쪽